新編五專國文

第六冊

何進盛　林敬文　范淑芬　徐琬章
劉菁菁　蘇義穠　林文鎮　李　春　編著

文史哲出版社印行

國家圖書館出版品預行編目資料

新編五專國文/ 何進盛等編著. -- 初版. -- 臺
北市：文史哲，民 96.09-98.02
冊: 公分. --
ISBN 978-957-549-735-4 (第1冊：平裝).--
ISBN 978-957-549-736-1（第 3 冊：平裝）.--
ISBN 978-957-549-765-1（第 2 冊：平裝）.--
ISBN 978-957-549-766-8（第 4 冊：平裝）.--
ISBN 978-957-549-802-3（第 5 冊：平裝）.--
ISBN 978-957-549-818-4（第 6 冊：平裝）
1.國文科 2.讀本
836　　　96016760

新編五專國文 第六冊

編著者：何進盛　林敬文　范淑芬　徐琬章
劉菁菁　蘇義穠　林文鎮　李　春
出版者：文　史　哲　出　版　社
http://www.lapen.com.tw
e-mail:lapen@ms74.hinet.net
登記證字號：行政院新聞局版臺業字五三三七號
發行人：彭　正　雄
發行所：文　史　哲　出　版　社
印刷者：文　史　哲　出　版　社
臺北市羅斯福路一段七十二巷四號
郵政劃撥帳號：一六一八〇一七五
電話886-2-23511028・傳真886-2-23965656
定價新臺幣二八〇元
中華民國九十八年（2009）二月初版

ISBN 978-957-549-818-4

新編五專國文 第六冊 目次

編輯說明

一、本教材是根據教育部頒布九五學年實施之五年制專科學校課程綱要編寫而成，共分六冊，供五專二、三年級使用。

二、本教材有四大目標：其一、培養閱讀、寫作、鑑賞、批評之能力。其二、了解我國文學的理論、源流、類別，以及各個時代，各項文體的主要觀點、作家、作品。其三、訓練歸納、演繹、推論、判斷等思考方法。其四、確立適切的思想觀念、國家意識，體認民主精神、文化本質。

三、本教材之選文，兼顧到作品的體裁及內容，也留意到各個時代、各個流派的代表作家、作品；希望能做到「縱」的銜接─史的連貫，與「橫」的聯繫─類的擴充。除了創作作品外，還選了有關文學評論的文章。而為了增加教學的彈性，每一冊的文章篇數，也比實際能講授的多了一些，可供同學自行參閱。

四、本教材之編排，分文言文、文化教材（論孟學庸）、詩詞曲、白話文、應用文五部分，分別依其特性，做系統的編排。

1文言文：以教育部公布的四十篇核心文言文爲主，依難易分編於各冊。六冊分成三個循環（一、二冊一個循環，三、四冊一個循環，五、六冊一個循環），每個循環依「從古至今」之序選文；一個循環比一個循環更加深內容。篇名標有◎符號者，爲部頒「後期中等教育共同核心課程『國文』課程指引」之「十五篇文言文」參考選文。

2文化教材：第一、二冊選讀論語，每冊兩課，共四課，分別是有關「仁、忠、恕」、「孝、弟、義」、「禮、正名」、「宗教、天命」的篇章。第三、四冊選讀孟子，同樣每冊兩課，共四課，分別是有關「善性」、「義利、養氣」「性、命」「王道、仁政、民本」的篇章。第五冊選讀大學、中庸。

3詩詞曲：第一冊選絕句，第二冊選律詩，第三冊選詩經，第四冊選古體詩、樂府詩，第五冊選唐宋詞、第六冊選元代散曲。

4白話文：分理論、新詩、小說、散文四大類，含元明清古典小說、民國以來散文、小說，日據時代臺灣先賢散文、小說，現代作家散文、小說，及現代詩選等。

5應用文：第一冊爲「書信、便條、名片」，第二冊爲「柬帖、會議文書、傳真」，第三冊爲「契約、規章」，第四冊爲「履歷、自傳」，第五冊爲「一般公文」，第六冊爲「存證信函、啓事、廣告」。

五、本教材單篇體例，依教學之需要，分別有作者、題解、注釋、結構、欣賞、討論等項，除了敘述時講求簡要，使用語體文，不做考證之外，尚有幾點跟一般的教材不同：

1作者：生平介紹採年表式，以方便參閱。

2注釋：直接解說含意，非必要，不稱引典故或前人注文。

3結構：依文章性質，有的注重全篇綱目的整理，有的只做精華歸納，不是說說各段大意而已。

4欣賞：直接說出其蘊含或技巧所以高妙之處，而避用玄虛的形容語彙。

5討論：這是教材最特殊的部分，注重整體性的研思；透過「討論」，前述的編輯目標才可以落實，「國文課」也才不至於落入韓愈所謂「小學而大遺」。

六、依部頒課程綱要「國文六」：授課學分數為3（語體：40％　文言：60％）。教學內容應包含：範文（記敘文3篇　抒情文2篇　論說文5篇）、文化教材、應用文、作文四部分。

七、本教材從策劃、訂體例、選文、編寫，一直到校稿完成，我們都竭盡心力，小心翼翼地在進行，唯才智有限，疏漏難免，還請高明之士多所指正，使本教材更精良，使國文教學更完美。

民國九十八年二月編者謹誌

一　長恨歌

白居易

【作者】

白居易，字樂天，原籍太原（今山西省太原縣），後徙下邽（今陝西省渭南縣）。

唐代宗大曆七年（西元七七二年），生於鄭州新鄭縣。

德宗貞元三年（西元七八七年），十六歲，始至長安謁顧況，作「賦得古原草送別」。

貞元十六年（西元八〇〇年），二十九歲，進士及第。

貞元十九年（西元八〇三年），三十二歲，參加「拔萃」科考試，入甲等，授秘書省校書郎。

憲宗元和元年（西元八〇六年），三十五歲，才識兼茂明於體用科及第，除盩厔（今陝西盩厔縣）縣尉，作長恨歌。

元和二年（西元八〇七年），三十六歲，授翰林學士。

元和三年（西元八〇八年），三十七歲，授左拾遺。

元和九年（西元八一四年），四十三歲，召至長安授太子左贊善。

元和十年（西元八一五年），四十四歲，宰相武元衡被刺，上疏請捕賊，以越權之罪貶江州（今江西九江）司馬。

元和十一年（西元八一六年），四十五歲，作「琵琶行」。
元和十二年（西元八一七年），四十六歲，長兄幼文歿於浮梁，築草堂於廬山。
元和十三年（西元八一八年），四十七歲，除忠州（四川忠縣）刺史。
元和十五年（西元八二〇年），四十九歲，自忠州召還，拜尚書司門員外郎，更主客司郎中，除知制誥。

穆宗長慶元年（西元八二一年），五十歲，加朝散大夫，除中書舍人，知制誥。
長慶二年（西元八二二年），五十一歲，求外任，七月除杭州刺史。
長慶四年（西元八二四年），五十三歲，杭州刺史任期滿，除太子左庶子，分司東都洛陽。白氏長慶集成。

文宗太和元年（西元八二八年），五十七歲，除刑部侍郎。
太和六年（西元八三二年），六十一歲，結交香山寺僧，稱香山居士。
文宗開成元年（西元八三六年），六十五歲，授太子少傅，分司洛陽，進封馮翊縣侯。
武宗會昌二年（西元八四二年），七十一歲，辭太子少傅，以刑部尚書致仕。
武宗會昌六年（西元八四六年），七十五歲，八月卒，贈尚書右僕射。

居易自幼聰慧，六歲便學作詩，二十歲以後，刻苦讀書，曾有口舌成瘡，手肘生胝的苦況。晚年白衣鳩杖，往來香山，自號香山居士，又號醉吟先生。

白居易出生於貧苦的鄉村，對貧苦早有相當的體驗，對農村的艱苦情形也非常熟悉。到了政界之後，親覩政治腐敗，民生疾苦，促成了他憂世救民、改造社會的理想。所以他提出「文章合爲時而著，歌詩合爲事而作」的號召，認爲文學要爲人生而作，文學應用來反映社會，改善時代，是當時有名的「社會詩人」。他的詩歌平易明暢，婦孺能解，不但風行當行，且流傳到朝鮮和日本，實爲中國詩人無上的榮譽。

白居易與元稹交往最爲密切，他們情意相投，常相唱和，時稱「元白」。有白氏長慶集七十一卷傳世。

【題解】

長恨歌是元和元年（西元八〇六年），白居易任職盩厔縣尉時，和友人陳鴻、王質夫同游仙遊寺，有感於唐玄宗、楊貴妃的故事而寫的敍事詩，取詩末「天長地久有時盡，此恨綿綿無絕期」之意，命名爲「長恨歌」。詩中，把唐明皇寵愛楊貴妃，終日沈緬於驕奢淫佚，而任由奸臣把天下弄得大亂的事實，以及他們之間的愛情與遭遇，超然客觀地描述出來，而不染上一絲個人的愛惡喜怒，反而有無限的品味可供讀者反覆咀嚼。

【本文】

漢皇(1)重色思傾國(2)，御宇(3)多年求不得。楊家有女(4)初長成，養在深閨人未識，天生麗質難自棄，一朝選在君王側(6)，迴眸(7)一笑百媚生，六宮粉黛無顏色(8)。

春寒賜浴華清池(9)，溫泉水滑洗凝脂(10)，侍兒扶起嬌無力，始是新承恩澤時。雲鬢花顏金步搖(11)，芙蓉帳(12)暖度春宵，春宵苦短日高起，從此君王不早朝(13)，承歡侍宴無閒暇，春從春遊夜專夜。後宮佳麗三千人，三千寵愛在一身，金屋(14)妝成嬌侍夜，玉樓(15)宴罷醉和春。姊妹弟兄皆裂土(16)，可憐(17)光彩生門戶，遂令天下父母心，不重生男重生女。驪宮(18)高處入青雲，仙樂風飄處處聞，緩歌慢舞凝絲竹(19)，盡日君王看不足。漁陽鞞鼓動地來(20)，驚破霓裳羽衣曲(21)，九重城闕煙塵生(22)，千乘萬騎西南行(23)。翠華(24)搖搖行復止，西出都門百餘里，六軍不發無奈何，宛轉蛾眉馬前死(25)。花鈿委地無人收，翠翹金雀玉搔頭(26)，君王掩面救不得，迴看血淚相和流。

　黃埃散漫風蕭索(27)，雲棧縈紆登劍閣(28)，峨嵋山(29)下少人行，旌旗無光日色薄(30)。蜀江水碧蜀山青，聖主朝朝暮暮情，行宮(31)見月傷心色，夜雨聞鈴(32)腸斷聲。天旋地轉迴龍馭(33)，到此(34)躊躇不能去，馬嵬坡下泥土中，不見玉顏空死處。君臣相顧盡沾衣(35)，東望都門信馬歸(36)。

　歸來池苑皆依舊，太液芙蓉未央柳(37)，芙蓉如面柳如眉(38)，對此如何不淚垂？春風桃李花開日，秋雨梧桐葉落時(39)，西宮南內多秋草，落葉滿階紅不掃(40)。梨園子弟白髮新(41)，椒房阿監青娥老(42)，夕殿螢飛思悄然(43)，孤燈挑盡(44)未成眠，遲遲鐘鼓初長夜(45)，耿耿星河欲曙天(46)。鴛鴦瓦冷霜華重(47)，翡翠衾(48)寒誰與共？悠悠(49)生死別經年，魂魄不曾來入夢。

臨邛道士鴻都客(50)，能以精誠致魂魄，爲感君王展轉思(51)，遂教方士(52)殷勤覓。排空馭氣(53)奔如電，昇天入地求之徧，上窮碧落下黃泉(54)，兩處茫茫皆不見。忽聞海外有仙山，山在虛無縹緲(55)間，樓閣玲瓏五雲起(56)，其中綽約(57)多仙子。中有一人字太眞，雪膚花貌參差(58)是，金闕西廂叩玉扃(59)，轉教小玉報雙成(60)。聞道漢家(61)天子使，九華帳(62)裏夢魂驚，攬衣推枕起徘徊，珠箔銀屏迤邐開(63)，雲髻半偏新睡覺(64)，花冠不整下堂來。風吹仙袂飄飄擧(65)，猶似霓裳羽衣舞，玉容寂寞淚闌干(66)，梨花一枝春帶雨(67)，含情凝睇(68)謝君王，一別音容兩渺茫。昭陽殿(69)裏恩愛絕，蓬萊宮(70)中日月長，迴頭下望人寰(71)處，不見長安見塵霧。空持舊物表深情，鈿合金釵寄將去(72)，釵留一股合一扇，釵擘黃金合分鈿(73)，但教心似金鈿堅，天上人間會相見。臨別殷勤重寄詞(74)，詞中有誓兩心知，七月七日長生殿(75)，夜半無人私語時：在天願作比翼鳥，在地願爲連理枝(76)，天長地久有時盡，此恨緜緜無絕期！

【注釋】

(1)漢皇—指唐玄宗。漢代表中國。
(2)傾國—象徵絕世美女。漢李延年佳人歌：「北方有佳人，遺世而獨立，一顧傾人城，再顧傾人國。寧不知傾城與傾國？佳人難再得。」
(3)御宇—御，統治。宇，指天下。
(4)楊家有女—楊貴妃（西元七一九年—西元七五六年），小字玉環，生於蜀地，幼時寄養在河南叔父楊玄珪家。
(5)閨—本爲宮中小門，後引申爲女子的居室。
(6)選在君王側—玄宗開元二十八年（西元七四〇年），楊玉環入宮，年二十二（玄宗年五十七。）
(7)迴眸—迴，轉動。眸，眼珠。
(8)六宮……色—天子有六宮，后妃嬪妾出入其間。粉黛，本是婦女的化妝品，這裏用作婦女的代稱。無顏色，顯得不美了。
(9)賜浴華清池—華清池，溫泉名，在今陝西省臨潼縣南驪山上。唐高宗時在此建離宮。
(10)凝脂—指潔白細嫩的肌膚。

(11)雲鬢……搖—雲鬢，鬢髮濃密如雲。金步搖，一種首飾，用金銀絲彎成花枝，上綴珠玉，插在髮髻上，行走時隨步搖動，所以叫金步搖。

(12)芙蓉帳—繡有芙蓉的錦帳。

(13)早朝—清早上朝接見臣子，參議國事。

(14)金屋—漢武帝幼時，他姑母將他抱在膝上，問他要不要她的女兒阿嬌作妻子，武帝笑著回答說：「若得阿嬌，當以金屋貯之。」後來遂用「金屋」指得寵婦女的住處。

(15)玉樓—指華清宮端正樓，爲貴妃專用梳浴處。

(16)姊妹……土—裂土，分封土地。楊玉環受冊封后，她的姊妹中，老大封韓國夫人，老三封虢國夫人，八妹封秦國夫人。堂兄楊銛官鴻臚卿，楊錡官侍御史，楊釗賜名國忠，天寶十二年爲右丞相。

(17)可憐—可愛。

(18)驪宮—卽華清宮，唐玄宗常和楊貴妃在此飲酒作樂。

(19)緩歌……竹—隨著絲竹之音而輕舞慢歌。凝，配合樂調。絲竹，樂器的總稱，絲爲琴瑟類，竹爲簫笛類。

(20)漁陽……來—漁陽，唐郡名，在今河北省薊縣，平谷一帶地方。鼙（ㄆㄧˊ）鼓，戰鼓。天寶十四年（西元七五五年），安祿山在漁陽叛變，長驅南下。次年正月，於洛陽稱帝，攻下潼關，進逼長安。

(21)霓裳羽衣曲—本是婆羅門曲，開元中自西涼（甘肅境）傳入中國。一說是唐玄宗與方士遊月宮，默記仙女歌舞的音調，召樂工寫成的。

(22)九重—九重城闕，指堅固之京城。煙，烽煙，戰時告警之火。煙塵，指戰亂。

(23)千乘……行—天寶十五年六月，安祿山破潼關，楊國忠主張逃向蜀中，唐玄宗命將軍陳玄禮率領六軍出發，他自己和楊玉環等跟著出延秋門向西南而去。

(24)翠華—天子的旌旗，用翠鳥羽毛裝飾。

(25)六軍……死—六軍，宛轉，纏綿委曲，有哀憐之意。蛾眉，美女的代稱。這兩句是指大軍至馬嵬（ㄨㄟˊ）驛（今陝西省興平縣西），將士饑疲，不肯西行，迫使唐玄宗殺死楊國忠，並命楊貴妃自盡。

(26)花鈿……頭—委，丟棄。花鈿，金玉製成的花形首飾。翠翹，如翡翠鳥尾長毛的首飾。金雀，雀形的金釵。玉搔頭，玉簪。

(27)蕭索—淒涼。

(28)雲棧……閣—雲棧，高入雲霄的棧道。縈紆，曲折迴繞。劍閣，即劍門關，在今四川省劍閣縣北，爲入蜀之門戶。

(29)峨嵋山—在今四川省峨嵋縣境。唐玄宗入蜀並不經過峨嵋山，這裏只是泛指今四川的高山而言。

(30)旌旗無光日色薄—暗指帝威消失。

(31)行宮—皇帝出行時的住所。

(32)夜雨聞鈴—明皇雜錄：「明皇既幸蜀，西南行，入斜谷，霖雨涉旬。於棧道雨中聞鈴聲，與雨相應。帝既悼貴妃，因採其聲，爲雨霖鈴曲，以寄恨焉。」

(33)天旋……馭—天旋地轉，指郭子儀等人收復長安，平定亂賊。迴龍馭，指玄宗由蜀回到長安。

(34)此—指楊貴妃自盡處，即馬嵬驛。

(35)沾衣—流淚沾濕衣裳。

(36)信馬歸—任由馬兒走回去。

(37)太液……柳—太液，池名，在大明宮含涼殿後。芙蓉，荷花的別名。未央，宮名，在長安縣西北。

(38)芙蓉……眉—芙蓉、柳葉，有如貴妃之面、眉。

(39)春風……時—梧桐，秋末開始落葉，聲音單調，詩人常用來表現淒涼的情景。

(40)西宮……掃—西宮，在今長安縣西北。南內，即南宮，亦稱興慶宮，在今長安縣東南。內，皇宮之內叫大內，簡稱內。玄宗自蜀歸京，先居南內，後爲宦官李輔國迫遷西宮。紅，落花。這兩句寫居處的蕭條。

(41)梨園子弟—梨園，玄宗教授伶人之所，在當中，習藝者稱「梨園弟子」。

(42)椒房……老—椒房，未央宮殿名，皇后所居，以椒和泥塗壁，取其溫暖而芳香。阿監，太監。青蛾，也作青娥，指年輕貌美的宮女。

(43)悄然—暗然憂傷的樣子。

(44)挑盡—古時用灯草點油灯，過一會兒就要把灯草往上挑，好讓它燃燒。
(45)遲遲……長—因爲不能入眠，愈覺長夜漫漫，連鐘鼓的報更聲都覺得來得太遲。
(46)耿耿……天—耿耿，明亮。天快要亮了，仍未入睡，還看著天空明亮的銀河。
(47)鴛鴦……重—瓦成雙的叫鴛鴦瓦。冷霜華，寒冷的霜花。重，濃。
(48)翡翠衾—繡著翡翠鳥的被子。衾，音ㄑㄧㄣ，被。
(49)悠悠—憂思深長。
(50)臨邛……客—臨邛（ㄑㄩㄥˊ），今四川省邛崍縣。鴻都，門名，借指都城。
(51)展轉思—反覆不已的思念。
(52)方士—有方術的人。
(53)馭氣—乘坐空中的精氣。
(54)上窮……泉—窮，遍。碧落，道教稱天空爲碧落，因東方第一天曾碧霞滿布。黃泉，地下。
(55)縹緲—若有若無的樣子。縹，音ㄆㄧㄠˇ。
(56)五雲—五色祥雲。
(57)綽約—溫柔美好的樣子。綽，音ㄔㄨㄛˋ。
(58)參差—彷彿。
(59)金闕……扃—金闕，金碧輝煌的神仙宮觀。叩，敲。扃，音ㄐㄩㄥ，門戶。
(60)轉教……成—轉教，指託侍女通報。小玉、雙成，仙女名。

⑹漢家—即唐朝。

⑹九華帳—用華絲圖案繡成的彩帳。九表示「多」。

⑹珠箔……開—珠箔，珠簾。屏，屏風。迤邐，連接不斷。

⑹雲鬢……覺—半偏，斜向一邊。新睡覺，剛睡醒。覺，唸ㄐㄩㄝˊ，醒。

⑹風吹……舉—袂，音ㄇㄟˋ，衣袖。舉，飛揚。

⑹闌干—形容流淚的樣子。

⑹梨花……雨—梨花芳香潔白，帶雨時有如美人含淚。

⑹凝睇—凝視。睇，音ㄉㄧˋ。

⑹朝陽殿—漢宮名，趙飛燕曾住過，這裏借指貴妃住的宮殿。

⑺蓬萊宮—傳說中海上仙山的宮殿，這裏指楊貴妃所住的仙境。

⑺人寰—人間。

⑺空持……去—合，通「盒」。鈿合，鑲嵌金花的盒子。金釵，分叉爲兩股的金簪子。玄宗納楊貴妃時，曾賜她金釵、鈿合作紀念物。

⑺釵留……鈿—是說釵盒平分兩半，一半留下，一半寄給玄宗。扇，指盒子之一片蓋子。擘，音ㄅㄛˋ，分開。

⑺重寄詞—再次託話。

⑺七月……殿—陰曆七月七日，相傳爲牽牛織女兩星相會的日子。長生殿，宮殿名。天寶十年，玄宗至驪山宮避暑，與貴妃在長生殿對星盟誓，願世世爲夫婦。

(76)在天……枝—比翼鳥，又名鶼鶼，傳說產於南方，雌雄相比而飛。連理枝，兩樹枝榦連爲一體叫連理枝。這兩句是唐玄宗和楊貴妃當年在長生殿的誓詞。

【賞析】

白居易「長恨歌」就像「琵琶行」一樣，也是膾炙人口，千古不衰。借著歷史的一點影子，根據當時人們的傳說，透過自己豐富的想像和高妙的筆法，蛻化出一個回旋宛轉，耐人尋思的「恨」。只因曾經有過，所以更「恨」，因此，詩人先從兩人之歡樂處說起，並且極力地鋪張渲染，所謂「六宮粉黛無顏色」，「三千寵愛在一身」，這是何等榮樂？然而這份極度的樂，在「恨」的比對之下，卻成了變質的「酒」，將「根」推向無盡無窮。

除了「對比」手法的運用之外，作者也很巧妙地將敍事、寫景和抒情結合在一起；透過事實的記述，景物的描寫，把人的思想情感、精神的刻劃出來。尤其回到長安以後，由見景傷情而引出方士弄術，更讓人有魂失魄散，顛亂失智的感覺。

【討論】

一、長恨歌雖只最後一句有「恨」字，可是篇內有「恨」的很多，請舉一例說明。

二、請舉一個例子，說明作者如何通過敍事或寫景物，來襯托顯示人的悲思？

三、詩名「長恨」，誰「恨」？「恨」誰？

四、對於詩中的男女際遇，你的看法如何？

二　答韋中立論師道書

柳宗元

【作者】

柳宗元，字子厚，唐河東解縣（今山西省解縣）人。
代宗大曆八年（西元七七三年），生於長安。
德宗貞元九年（西元七九三年），二十一歲，中進士。
德宗貞元十二年（西元七九六年），二十四歲，中博學鴻詞科，任藍田縣尉。
德宗貞元十九年（西元八〇三年），三十一歲，拜監察御史。
順宗永貞元年（西元八〇五年），三十三歲，翰林學士王叔文當政，奇其才，任禮部員外郎。九月，政局驟變，王叔文事敗，宗元貶邵州刺史，途中，又降貶永州司馬。
憲宗元和九年（西元八一四年），四十二歲，召回長安。
憲宗元和十年（西元八一五年），四十三歲，調任柳州（今廣西柳城縣）刺史。
憲宗元和十四年（西元八一九年），四十七歲，死於柳州。
宗元自幼聰穎過人，學問淵博，勤政愛民，很有政聲。任御使大夫時，結識了清廉正直名重當時的王叔文和韋執誼，想共同去除門閥及宦官所造成的政治積弊，但因爲操之過急，更由於特權官僚的反擊而失敗。宗元被貶職外調爲地方官，先貶爲邵州刺史（州的長官），再貶爲永州司馬（地方長官的副手），後來調任柳州刺史，治績卓著，世稱「柳柳州」。

宗元善於文章，與韓愈提倡古文運動，力排駢儷，維護道統，使古文風靡一時，世人以「韓柳」並稱。韓、柳二人對於古文的主張雖相同，可是他們的文章風格卻不一樣。韓愈唯一宗奉的是儒家，所以文章以闡揚儒家的大道爲主，柳宗元則取法較廣，除於經書有深入的研究外，周秦諸子、佛家經典也熟讀精思，所以思想甚爲超脫，經常能發揮獨到之見解。

在雜文中，寓言遊記做得最好，寓言的筆法，妙趣橫生，令人莞爾，而且涵蓄了許多經國濟民的大道理。而其遊記是託山水以自遣被貶的心情，在柳宗元集中所收將近三十篇遊記散文中，大都是被貶以後所作，其中十之八九，作於永州。他在山水的描寫上，有細微的觀察與深切的體認，運用最精鍊的筆鋒，清麗的語言，把山水的眞貌，刻劃出來，成爲山水文的傑作。

宗元臨死的時候，把編訂遺集的責任，委託他的好友劉禹錫。劉氏爲編訂成四十五卷，題爲柳河東集，又有龍城錄，並傳於世。

【題解】

韋中立是潭州（今湖南長沙）刺史韋彪的孫子，唐憲宗元和八年（西元八一三），寫信給當時任永州（今湖南零陵）司馬的柳宗元，希望能拜柳氏爲師。柳氏一則由於順宗永貞元年（西元八〇五）才被貶至永州，二則由於當時爲人師的大都遭人譏笑，堅持不接受。但柳氏又感於韋中立求師好學的志向，所以回信給他，述說不敢爲人師的原因，並將自己平生爲文的要點與理想告訴韋氏，希望彼此以文相交，不必有師生的名分，這樣既可得到師生的實益，又能免於流俗之譏，觀其用心，雖說不敢爲人師，實在比爲人師的人更有過之。

【本文】

二十一日宗元白：

辱書(1)云欲相師。僕(2)道不篤，業甚淺近，環顧其中，未見可師者；雖嘗好言論，爲文章，甚不自是(3)也。不意吾子自京師來蠻夷間(4)，乃幸見取。僕自卜(5)固無取，假令有取，亦不敢爲人師；爲衆人師且不敢，況敢爲吾子師乎？

孟子稱：「人之患，在好爲人師。」由魏晉以下，人益不事師。今之世不聞有師，有，輒譁笑之，以爲狂人，獨韓愈奮不顧流俗，犯笑侮，收召後學，作「師說(6)」，因抗顏而爲師(7)。世果羣怪聚駡，指目牽引(8)，而增與爲言詞，愈以是得狂名，居長安，炊不暇熟(9)，又挈挈而東(10)，如是者數矣。

屈子賦(11)曰：「邑犬羣吠，吠所怪也(12)。」僕往聞，庸蜀之南(13)，恆雨少日(14)，日出則犬吠；予以爲過言。前六七年，僕來南。二年(15)冬，幸大雪，踰嶺被南越中數州(16)，數州之犬，皆蒼黃吠噬(17)，狂走者累日，至無雪乃已，然後始信前所聞者。今韓愈既自以爲蜀之日，而吾子又欲吾爲越之雪，不亦病(18)乎？非獨見病，亦以病吾子。然雪與日豈有過哉？顧吠者犬耳。度今天下不吠者幾人，而誰敢衒(19)怪於羣目，以召鬧取怒乎？

僕自謫過以來，益少志慮，居南中九年(20)，增脚氣病，漸不喜鬧，豈可使呶呶(21)者，早暮咈(22)吾耳，騷吾心？則固僵仆煩憒(23)，愈不可過矣。平居望外(24)遭齒舌不少，獨欠爲人師耳。

抑(25)又聞之，古者重冠禮(26)，將以責成人之道，是聖人所尤用心者也。數百年來，人不復行。近有孫昌胤者，獨發憤行之。既成禮，明日造朝(27)，至外廷(28)，薦笏(29)，言於卿士(30)曰：「某子冠畢。」應之者咸憮然(31)。京兆尹鄭叔則(32)怫然曳笏卻立(34)，曰：「何預(35)我邪？」廷中皆大笑。天下不以非鄭尹而快孫子何哉？獨爲所不爲也。今之命師(36)者大類此。

吾子行厚而辭深，凡所作皆恢恢然(37)有古人形貌，雖僕敢爲師，亦何所增加也！假而[38]以僕年先吾子，聞道著書之日不後，誠欲往來言所聞，則僕固願悉陳中所得者[39]。吾子苟[40]自擇之，取某事，去某事，則可矣，若定是非以教吾子，僕材不足，而又畏前所陳者，其爲不敢也決矣。

吾子前所欲見吾文，既悉以陳之，非以耀明於子，聊欲以觀子氣色，誠好惡如何也，今書來言者皆大過[41]。吾子誠非佞譽誣諛[42]之徒，直見愛甚故然耳[43]！始吾幼且少，爲文章，以辭爲工[44]，及長，乃知文者以明道，是固不苟爲炳炳烺烺[45]，務采色，夸聲音[46]而以爲能也。凡吾所陳，皆自謂近道，而不知道之果近乎遠乎？吾子好道而可[47]吾文，或者其於道不遠矣。

故吾每爲文章，未嘗敢以輕心掉之[48]，懼其剽而不留[49]也；未嘗敢以怠心易[50]之，懼其弛而不嚴[51]也；未嘗敢以昏氣出之，懼其昧沒而雜[52]也；未嘗敢以矜氣作之，懼其偃蹇[53]而驕也。抑之欲其奧[54]，揚之欲其明，疏之欲其通，廉之欲其節[55]，激而發之欲其清，固而存之欲其重[56]，此吾所以羽翼[57]夫道也。本之書以求其質[58]，本之詩以求其恆[59]，本之禮以求其宜[60]，本之春秋以求其斷[61]，本之易以求其動[62]，此吾所以取道之原也。參之穀梁氏以厲其氣(63)，參之孟、荀以暢其支(64)，參之莊、老以肆其端(65)，參之國語以博其趣(66)，參之離騷以致其幽(67)，參之太史公以著其潔(68)，此吾所以旁推交通，而以爲之文(69)也。

凡若此者果是邪，非邪？有取乎，抑其無取乎？吾子幸觀(70)焉，擇焉，有餘以告焉。苟亟來以廣是道(71)，子不有得焉，則我得矣，又何以師云爾哉？取其實而去其名，無招越蜀吠怪，而爲外廷所笑，則幸矣。宗元復白(72)。

【注釋】

(1)辱書—屈辱你寄信給我，謙敬之詞。
(2)僕—我，自謙詞。
(3)甚不自是—自己都不敢以爲是對的。
(4)蠻夷間—潭州、永州在今湖南省，唐時爲蠻夷雜居之地。
(5)卜—衡量。
(6)韓愈……作師說—韓愈作「師說」贈送李蟠，論師道的重要。參考第一冊第六課。
(7)抗顏而爲師—扳著臉孔，做起老師。抗顏，端正容色。

(8)指目牽引—指目，手指目視。牽引，牽連引申，有藉機編造是非之意。

(9)炊不暇熟—沒時間煮熟飯，表示匆忙之意。

(10)挈挈而東—急忙向東而去。挈挈，急切。而東，指元和初年韓愈以國子博士任教東都洛陽。

(11)屈子賦—屈原的懷沙賦。

(12)吠所怪也—對著牠認爲奇怪的事物吠叫。

(13)庸蜀之南—上庸蜀郡的南邊。庸，古代國名，在漢江之南，今湖南省竹山縣一帶。

(14)恆雨少日—常常下雨，少出太陽。

(15)二年—第二年。

(16)踰嶺被南越中數州—越過五嶺，遮蓋了南越幾州的地方。嶺，指大庾、騎田、都龐、萌渚、越城五嶺，綿亙貴州、廣西、廣東、湖南、江西等省。南越，今兩廣一帶，古時爲百越之地。

(17)蒼黃伏噬—驚慌而伏地亂咬。蒼黃，即倉皇，驚慌。噬，音ㄕˋ，咬。

(18)病—禍害。

(19)衒—ㄒㄩㄢˋ，誇耀。

(20)謫過……九年—謫過，因罪被貶。柳宗元永貞元年（西元八〇五）被貶，至元和八年（西元八一三）正好第九年。

(21)呶呶—嘮叨不休。呶，音ㄋㄠˊ。

(22)咈—ㄈㄨˊ，拂逆、擾亂。
(23)僵仆煩憒—煩亂至極。僵仆，跌倒。煩憒，煩憂。憒，音ㄎㄨㄟˋ，亂。
(24)望外—意外。
(25)抑—無義，發語詞。
(26)冠禮—古時男子年滿二十歲，行加冠禮，謂之成人。
(27)造朝—上朝。造，至。
(28)外廷—外朝。卿大夫朝會的地方。
(29)薦笏—拿著笏板。薦，拿，舉。笏，ㄏㄨˋ，朝會時所持用以記事之長板。
(30)卿士—當政的士大夫。
(31)憮然—驚愕的樣子。憮，ㄨˇ。
(32)京兆尹鄭叔則—京兆尹，管理京師的長官。鄭叔則於貞元初爲京兆尹。
(33)怫然—不高興。
(34)曳笏卻立—搖著笏版，退後站住。曳，ㄧㄝˋ。卻立，退立。
(35)預—干。
(36)命師—自命爲老師。
(37)恢恢然—廣大無所不包。

(38)假而—假使。而，同「如」。
(39)悉陳中所得者—將全部心得告知。陳，陳述。中，心。
(40)茍—如果。
(41)大過—過於誇獎。
(42)佞譽諂諛—隨便稱讚，善於阿諛奉承。佞，巧於言辭。諛，奉承他人。
(43)直見愛甚故然耳—又因崇愛我太深才如此罷了。直，只。
(44)以辭爲工—擅長修辭。工，擅長。
(45)炳炳烺烺—文辭斐然亮麗。炳炳，色彩鮮明。烺烺，同朗朗，光輝昭著。
(46)夸聲音—誇飾聲律。
(47)可—欣賞、喜歡。
(48)以輕心掉之—即「掉之以輕心」，以輕忽的心運作。掉，動。
(49)剽而不留—輕浮不留餘味。剽，輕率疾速。
(50)易—處理。
(51)弛而不嚴—鬆散而不嚴謹。
(52)昧沒而雜—流於暗昧冗雜。昧沒，籠統不明。
(53)偃蹇—傲慢。

⑸抑之欲其奧—含斂處求其精深。

⑸疏之……欲其節—該述說處求其通暢，該簡約處求其精要。

⑸激而發之……欲其重—激發處求其淸晰明亮，蓄存處求其沉穩厚實。

⑸羽翼—、扶持、輔佐。

⑸本之書以求其質—在尚書中探尋，以求得道之本質。書，指尙書，記唐、虞、夏、商、周政事之書，含有很多聖王治世要道。

⑸本之詩以求其恆—在詩經中探尋，以求取道之恒久性。詩，指詩經，周以前詩篇之選集，辭含恒久通遍之理，爲天下傳誦。

⑹本之禮以求其宜—在禮中探尋，以求取合宜的行道方式。禮，指三禮，記載人生規範，禮儀節文。

⑹本之春秋以求其斷—在春秋中探尋，以求取明確的是非標準。春秋，孔子根據魯史刪訂而成，一字一句皆寓含褒貶，皆大義，不能增減。

⑹本之易以求其動—在易經中探尋以體識道之應變之理。易經，講述陰陽變化之理，爲人生應變之基礎。

⑹參之穀梁氏以厲其氣—參考穀梁傳以砥礪氣勢。穀梁氏，指春秋穀梁傳，穀梁赤所作，以闡述春秋大義爲主，文氣凌厲剴切。

⑹參之孟、荀以暢其支—參考孟子、荀子使脈絡明暢。孟子之文章雄肆善辯。荀子文章簡潔，長於說理。

⑹參之莊、老以肆其端—參考莊子、老子以開拓根基。莊子，莊周所著，老子，李耳所著，二書以探究天

下至「道」爲主，本於宇宙原理以說明人事，依據深遠廣濶。

(66)參之國語以博其趣——參考國語以擴大情趣。國語，一名春秋外傳，傳爲左丘明著，記周穆王十二年（西元前九九〇年）至周貞定王十六年（西元前四五三年）周、魯、齊、鄭、楚、吳、晉、越八國之事，爲我國「國別史」之祖。

(67)參之離騷以致其幽——參考離騷以助幽隱情意之表達。離騷，屈原著，多用譬喻表達其愛國之情，辭婉而義隱。

(68)參之太史公以著其潔——參考史記使文辭簡潔。太史公，史官名，司馬遷曾作太史公，這裡指他所作的史記。史記善於記述簡扼有旨，不流冗雜。

(69)之文——此類的文章，指「明道」爲主之文章。

(70)吾子幸觀焉——即幸吾子觀焉。幸，希望。

(71)苟亟來以廣是道——假使急著想要來推廣聖道。亟，通「急」。

(72)復——通「覆」。

【結構】

本文可分爲兩大部分：前半婉辭爲師，後半自敍爲文之道，請將婉辭爲師部分之綱目整理出來，並探析其「婉辭」之方式。

【討論】

一、作者引屈原懷沙賦「邑犬羣吠，吠所怪也。」其用意何在？
二、柳宗元拒絕韋中立拜師的理由何在？他認爲彼此往來的關係如何較爲適切？
三、柳宗元以爲寫作的基本態度應如何？寫作的基礎是什麼？寫作時取法於那些書的那些方面？

三、阿房宮賦

杜　牧

【作者】

杜牧，字牧之，號樊川，唐京兆萬年（今陝西臨潼縣東北）人。其祖父杜佑在德宗、憲宗朝兩度為相，撰有通典，為後世言典章者所宗。

唐德宗貞元十九年（西元八〇三年），杜牧生。

文宗太和二年（西元八二八年），廿六歲，登進士第。後再中賢良方正科，授弘文館校書郎。

文宗太和三年（西元八二九年），廿七歲，應江西觀察使沈傳師之辟，任江西團練巡官，試大理評事。

牧又為牛僧孺淮南節度府掌書記。後歷任監察御史，黃、池、睦、湖四州刺史，入為司勳員外郎，累官中書舍人。

宣宗大中六年（西元八五二年），牧卒。

牧之幼承家學，內懷經濟之略，外騁豪宕之才，但因當時藩鎮氣燄高張，朝廷舉棋不定；加以受李德裕黨人所排斥，致其抱負終不能實現，鬱鬱一生。他擅長七言之詩，尤和杜甫晚年詩風相似，時人稱「小杜」。而其生平注意「治亂興衰之迹，財賦兵甲之事，地形之險易遠近，古人之長短得失」（上李中丞書），曾作罪言、原十六衛、戰論、守論，部析時事，切中情實。新唐書本傳謂：「剛直有奇節，不為齷齪小謹，敢論列大事。指陳病利尤切至」。杜牧則自敘其治學為文趨向為：「經書括根本，史書閱興亡。高摘屈宋豔，濃薰班馬香。李杜泛浩浩，韓柳摩蒼蒼。近者四君子，與古爭強梁。」（冬日寄小侄阿宜詩）卒後，其甥裴延翰輯其詩文，編為樊川文集二十卷。

【題解】

本文為論說文，還自樊川文集。旨在藉秦始皇營建宮殿而不體恤民生一事，說明暴政必亡之理，並指出當時唐敬宗「大起宮室，廣聲色」（上知己文章啟）之不當。

阿房宮，故址在今陝西省西安市鄠鄔嶺，與秦咸陽宮隔水相對。始皇三十五年（西元前二一二年）在渭水南岸上林苑中營作朝宮，先作前殿阿房，東西五百步，南北五十丈，上可以坐萬人，下可以建五丈旗，天下謂之阿房宮。宮未就，始皇崩。二世胡亥嗣位，續作阿房，賦歛無度，百姓困窮，終激民變而亡國。宮後為項羽所燬，大火三月不熄。

唐詩紀事卷五十六云：「吳武陵以杜牧阿房宮賦，薦於崔郾（禮部侍郎），遂登第。」據此，則本賦當作於文宗太和元年，廿五歲中進士以前，是杜牧少年成名之作。阿房，音ㄜ ㄈㄤˊ，顏師古曰：「阿，近也。以其去咸陽近，且號阿房。」（史記正義引）

【本文】

六王畢，四海一；蜀山兀(1)阿房出。覆壓(2)三百餘里，隔離天日。驪山(3)北構而西折，直走咸陽。二川溶溶(4)，流入宮牆。五步一樓，十步一閣；廊腰縵迴(5)，簷牙高啄(6)。各抱地勢(7)，鉤心鬥角(8)，盤盤焉(9)，囷囷焉(10)，蜂房水渦(11)，矗(12)不知其幾千萬落(13)。長橋臥波，未雲何龍(14)？複道行空，不霽何虹(15)？高低冥迷(16)，不知西東。歌臺暖響，春光融融(17)；舞殿冷袖，風雨淒淒(18)；一日之內，一宮之間，而氣候不齊。

妃嬪媵嬙(19)，王子皇孫，辭樓下殿，輦(20)來於秦，朝歌夜絃(21)，為秦宮人。明星熒熒，開妝鏡也(22)；綠雲擾擾，梳曉鬟也(23)；渭流漲膩(24)，棄脂水也；煙斜霧橫，焚椒蘭(25)也；雷霆(26)乍驚，宮車過也；轆轆(27)遠聽，杳(28)不知其所之也。一肌一容，盡態極妍(29)；縵立(30)遠視，而望幸(31)焉，有不得見者三十六年。

燕趙之收藏，韓魏之經營，齊楚之精英，幾世幾年，剽掠(32)其人，倚疊(33)如山；一旦不能有，輸來其間。鼎鐺玉石，金塊珠礫(34)，棄擲邐迤(35)，秦人視之，亦不甚惜。

嗟乎！一人之心，千萬人之心也；秦愛紛奢(36)，人亦念其家。奈何取之盡錙銖(37)，用之如泥沙！使負棟之柱，多於南畝之農夫；架梁之椽(38)，多於機上之工女；釘頭磷磷(39)，多於在庾(40)之粟粒；瓦縫參差，多於周身之帛縷；直欄橫檻，多於九土(41)之城郭；管弦嘔啞(42)，多於市人之言語。使天下之人，不敢言而敢怒。獨夫(43)之心，日益驕固。戍卒叫，函谷舉；楚人一炬，可憐焦土(44)！

嗚呼！滅六國者，六國也，非秦也；族(45)秦者，秦也，非天下也！嗟夫！使六國各愛其人，則足以拒秦；秦復愛六國之人，則遞(46)三世可至萬世而為君，誰得而族滅也？秦人不暇自哀，而後人哀之；後人哀之而不鑑之，亦使後人而復哀後人也！

【注釋】

(1)蜀山兀—蜀山，蜀中之山，材木最盛之地。兀，高而上平也。

(2)覆壓——覆蓋，遮蔽。

(3)驪山——山名，在陝西省臨潼縣東南。

(4)二川溶溶——二川指涇渭二水。溶溶，水勢浩大的樣子。

(5)廊腰縵迴——緜亙曲折的走廊，有如迴環的縵帛。廊腰，走廊的轉折處，縵，沒有花紋的絲織品。

(6)簷牙高啄——簷牙之尖聳如群鳥爭啄也。屋簷兩端上翹如牙，故曰簷牙。

(7)各抱地勢——各依地勢高低而建。抱，繞也。

(8)鉤心鬥角——樓閣重疊交錯、對峙並列。鉤心，指屋角伸向高處樓閣屋心。鬥角，指並列之樓閣，屋角相抵。

(9)盤盤——曲折也。

(10)囷囷——迴旋也。音ㄐㄩㄣ。

(11)蜂房水渦——樓閣之多如蜂房之細密，瓦溝迴旋如水渦。

(12)矗——高聳貌。

(13)落——院落也。

(14)長橋臥波二句——長橋橫跨水面，使人疑惑：天上沒有雲，哪來的龍。渭水上建有長橋，其形疑似雲中之龍。

(15)複道行空二句——複道凌空而過，使人疑惑：並非雨後，哪來的虹。複道是高樓間的通道。霽，雨止也。

(16)冥迷——昏遠而不能見。
(17)歌臺暖響二句——歌臺上樂聲鬧烘烘，有如春光融和。暗指宮妃之受寵幸者。
(18)舞殿冷袖二句——舞殿中舞者衣袖生風，如風雨淒冷。指宮妃之受冷落者。
(19)妃嬪媵嬙——指六國的宮眷、貴族。嬪，者ㄆㄧㄣˊ；嬙音ㄑㄧㄤˊ，皆宮廷女官名。媵，音ㄧㄥˋ，陪嫁的人。
(20)輦——車之以人力挽行者。此當「載行」之意。
(21)朝歌夜絃——日日夜夜的唱歌奏樂。
(22)明星熒熒二句——星光閃亮，是宮人打開梳妝鏡，熒熒，光艷也。
(23)綠雲擾擾二句——烏雲紛紛，是宮人在梳理頭髮。綠雲，喻美人之髮如雲。擾擾，即紛紛，多的意思。
(24)膩——滑澤也。
(25)椒蘭——椒，香木也。蘭，香草也。
(26)雷霆——喻車聲之振動。
(27)轆轆——車行之聲。
(28)杳——遙遠也。
(29)盡態極妍——竭盡嫵媚，窮極艷麗。
(30)縵立——久立、久待也。縵，長久也。
(31)幸——天子車駕所至曰幸。

(32)剽掠──掠奪。

(33)倚疊──堆積。

(34)鼎鐺玉石二句──視鼎如鐺，視玉如石，視金如土，視珠如礫。極其不愛惜之意。鐺，音ㄔㄥ，鍋子。

(35)邐迤──音ㄌㄧˇ　ㄧˇ，散亂而連延狀。

(36)紛奢──奢侈豪華。

(37)錙銖──言極細微也。

(38)梁椽──梁，承屋之重者。椽，承屋瓦者。

(39)磷磷──眾多貌。磷，音ㄌㄧㄣˋ。

(40)庾──音ㄩˇ，倉之無屋頂者。

(41)九土──即九州，泛稱天下。

(42)嘔啞──音ㄡ　ㄧㄚ，指樂聲繁雜。

(43)獨夫──稱天怒人怨、眾叛親離的無道之君，指始皇。

(44)戍卒叫四句──戍卒怒吼，函谷關被攻破；項羽一把火可憐阿房宮被燒成一片焦土。戍卒，守邊之士卒，指陳勝、吳廣所率領之士卒。函谷，關名，在河南省靈寶縣西南，劉邦、項羽相繼由此入關中。楚人指項羽。炬，火炬，此當「放火」，謂羽燒秦宮室。

(45)族──誅，滅之意。刑及父母妻子曰族。

(46)遞——傳。

【問題討論】

一、試述阿房宮之形勢及宮內之情景。

二、何謂「滅六國者，六國也，非秦也；族秦者，秦也，非天下也」？試申其義。

三、試從阿房宮賦探討文學寫作和實情報導的不同。

【附錄】

赤壁　　杜牧

折戟沈沙鐵未銷，自將磨洗認前朝。東風不與周郎便，銅雀春深鎖二喬。

遣懷　　杜牧

落魄江湖載酒行，楚腰纖細掌中輕。十年一覺揚州夢，贏得青樓薄倖名。

金谷園　　杜牧

繁華事散逐香塵，流水無情草自春。日暮東風怨啼鳥，落花猶似墜樓人。

四、虬髯客傳

杜光庭

【作者】

杜光庭，字賓至，又字賓聖，處州縉雲（今浙江縉雲）人。生於唐宣宗大中四年（西元八五〇年），卒於後唐明宗長興四年（西元九三三年），享年八十四。

光庭爲人性簡而氣清，量寬而識遠，博覽群書，志趣超邁，工於辭章翰墨之學。懿宗設萬言科選士，應試不中，乃棄儒衣冠，上天台山學道，考訂道法科教，爲羽流所宗。僖宗時，召見賜紫服，充麟德殿文章應制；黃巢作亂，從僖宗幸蜀（西元八八一年）；喜青城山氣勢磅礴，遂結茅居之。

王建據蜀稱帝，召爲太子師，進戶部侍郎，欲委以重任，然光庭切於度世，無心爵祿，王建賜號爲廣成先生。後主王衍嗣位（西元九一九年），尊爲傳眞天師，崇眞觀大學士，未幾辭官，隱居青城山白雲溪，自號東瀛子。長興四年十一月，披法服趺坐而化，顏色溫睟，時人以爲尸解。

光庭著述甚多，皆本無爲之旨。今傳世著作有道德眞經廣聖義、廣成集、錄異記、歷代崇道記、洞天福地嶽瀆名山記、墉城集仙錄、神仙感遇傳等等，所作傳奇小說虬髯客傳最富文名。

【題解】

虬髯客傳，選自太平廣記卷一九三，爲唐傳奇名篇。篇中三個主要人物，紅拂女、李靖和虬髯客，後世稱爲「風塵三俠」。故事以隋末天下紛亂，群雄競起爲背景；三俠結識經過、聚散離合爲線索；內容和史實、地理多不符，實屬虛構；但情節離奇曲折，扣人心絃；是作者不滿晚唐藩鎮割據及維護唐王朝、期待國家安定的一種心聲。三俠中，李靖是一介貧士，但胸懷大志，滿腹經綸，沈著英俊，不但獲得美人芳心，得到虬髯客饋贈所有財物，也輔佐李世民統一天下。紅拂女則美若天仙，雖寄身楊府，但聰慧機敏，具慧眼和膽識，爲追求幸福，毅然投奔李靖，夫貴妻榮，洵非偶然也。虬髯客稟豪俠氣質，慷慨豪爽，狀貌奇異，有龍虎之姿，志在圖謀帝業，當他確認李世民爲眞天子後，盡棄前志，遠走海外，到扶餘國另立霸業，故事也到此爲止。但虬髯客傳三俠的風姿，從此深植人心，明代凌初成的虬髯翁、馮夢龍的女丈夫、張鳳翼的紅拂記等戲劇，都取材於此。

唐傳奇，就是唐代小說；傳者，記也，奇者，異也；記載奇聞異事者也。古代小說在發展過程中，產生不同類型，如六朝之志怪，唐之傳奇，宋之話本，明清之章回小說，各有其獨特風格。唐傳奇在小說發展中，已屬成熟階段，其本身發展，依時間前後，大致經歷了三個時期：一、初期（初唐盛唐），是由六朝寫鬼神之怪的志怪，過渡到傳人事之奇的傳奇時期，作品有古鏡記、游仙窟和白猿傳三篇。二、中期（中唐），是唐傳奇的黃金時期，此期名家輩出，代表作品有枕中記、南柯太守傳、霍小玉傳、鶯鶯傳、長恨歌傳、離魂記等等。三、後期（晚唐），這時期湧現了大量傳奇小說專集，如玄怪錄、河東記、集異記、甘澤謠、裴鉶傳奇諸書，名篇有虬髯客傳、崑崙奴、聶隱娘、紅線等等。唐傳奇，文備衆體，內容豐富多采，故事跌宕曲折，委婉動人，可與唐詩並稱爲唐代文學的雙璧。宋代洪邁曾給予高度評價，在容齋隨筆中說：「唐人小說，不可不熟，小小情事，淒婉欲絕，洵有神遇而不自知，與詩律可稱一代之奇。」值得細心玩味。

【本文】

隋煬帝之幸江都⑴也，命司空楊素⑵守西京⑶。素驕貴，又以時亂，天下之權重望崇者，莫我若也，奢貴自奉，禮異人臣。每公卿入言，賓客上謁，未嘗不踞牀⑷而見，令美人捧出⑸。侍婢羅列，頗僭⑹於上。末年愈甚，無復知所負荷⑺，有扶危持顚⑻之心。

一日，衛公李靖⑼以布衣上謁，獻奇策，素亦踞見。公前揖曰：「天下方亂，英雄競起。公爲帝室重臣，須以收羅豪傑爲心，不宜踞見賓客。」素斂容⑽而起，謝公，與語，大悅，收其策而退。

當公之騁辯⑾也，一妓有殊色，執紅拂⑿，立於前，獨目公。公既去，而執拂者臨軒⒀指吏曰：「問去者處士⒁第幾？住何處？」公具以對，妓誦⒂而去。

公歸逆旅。其夜五更初，忽聞叩門而聲低者，公起問焉。乃紫衣戴帽人，杖揭一囊⒃。公問：「誰？」曰：「妾，楊家之紅拂妓也。」公遽延入。脫衣去帽，乃十八九佳麗人也。素面畫衣⒄而拜，公驚答拜。曰：「妾侍楊司空久，閱天下之人多矣，無如公者。絲蘿[18]非獨生，願託喬木，故來奔耳。」公曰：「楊司空權重京師，如何？」曰：「彼尸居餘氣[19]，不足畏也。諸妓知其無成，去者衆矣。彼亦不甚逐也，計之詳矣，幸無疑焉。」問其姓，曰：「張。」問其伯仲之次，曰：「最長。」觀其肌膚、儀狀、言詞、氣性，眞天人也。公不自意獲之，愈喜愈懼，瞬息萬慮不安，而窺戶者無停屨[20]。數日，亦聞追討之聲，意亦非峻。乃雄服[21]乘馬，排闥[22]而去，將歸太原。

行次，靈石[23]旅舍，既設牀，爐中烹肉且熟。張氏以髮長委地，立梳牀前。公方刷馬，忽有一人，中形[24]，赤髯而虯[25]，乘蹇驢[26]而來。投革囊於爐前，取枕欹臥[27]，看張梳頭。公怒甚，未決[28]，猶刷馬。張熟視其面，一手握髮，一手映身[29]搖示公，令勿怒。急急梳頭畢，歛袵[30]前問其姓。臥客答曰：「姓張。」對曰：「妾亦姓張，合是妹。」遽拜之。問：「第幾？」曰：「第三。」因問：「妹第幾？」曰：「最長。」遂喜曰：「今多幸逢一妹。」張氏遙呼：「李郎，且來見三兄！」公驟拜之。遂環坐。曰：「煮者何肉？」曰：「羊肉，計已熟矣。」客曰：「饑。」公出市胡餅[31]，客抽腰間匕首，切肉共食。食竟，餘肉亂切送驢前食之，甚速。客曰：「觀李郎之行，貧士也。何以致斯異人？」曰：「靖雖貧，亦有心者焉。他人見問，故不言。兄之問，則不隱耳。」具言其由。曰：「然則將何之？」曰：「將避地太原。」曰：「然吾故非君所致也。」曰：「有酒乎？」曰：「主人(32)西，則酒肆也。」公取酒一斗。既巡，客曰：「吾有少下酒物，李郎能同之乎？」曰：「不敢。」於是開革囊，取一人頭并心肝。卻頭囊中，以匕首切心肝，共食之。曰：「此人天下負心者，銜(33)之十年，今始獲之，吾憾釋矣！」又曰：「觀李郎儀形器宇，眞丈夫也。亦聞太原有異人乎？」曰：「嘗識一人，愚謂之眞人(34)也。其餘，將帥而已。」曰：「何姓？」曰：「靖之同姓。」曰：「年幾？」曰：「僅二十。」曰：「今何爲？」曰：「州將之子(35)。」曰：「似矣！亦須見之。李郎能致吾一見乎？」曰：「靖之友劉文靜(36)者，與之狎(37)，因文靜見之可也。然兄何爲？」曰：「望氣者言太原有奇氣，使訪之。李郎明發，何日到太原？」靖計之日。曰：「達之明日，日方曙，候我於汾陽橋(38)。」言訖，乘驢而去，其行若飛，迴顧已失。公與張氏且驚且喜，久之，曰：「烈士不欺人，固無畏。」促鞭而行。

及期，入太原。果復相見。大喜，偕詣劉氏。詐謂文靜曰：「以善相者思見郎君，請迎之。」文靜素奇其人，一旦聞有客善相，遽致使迎之。使迴而至，不衫不履，褐裘而來(39)，神氣揚揚，貌與常異。虬髯默居末坐，見之心死，飲數杯，招靖曰：「眞天子也！」公以告劉，劉益喜，自負。既出，而虬髯曰：「吾得十八九矣，然須道兄見。李郎宜與一妹復入京，某日午時，訪我於馬行東酒樓下。下有此驢及瘦驢，即我與道兄俱在其上矣，到即登焉。」又別而去。公與張氏復應之。

及期訪焉，宛見二乘(40)。攬衣登樓，虬髯與一道士方對飲，見公驚喜，召坐。圍飲十數巡，曰：「樓下櫃中有錢十萬，擇一深隱處駐一妹，某日，復會我於汾陽橋。」如期至，則道士與虬髯已到矣。俱謁文靜，時方奕棋，揖而話心焉。文靜飛書迎文皇(41)看棋。道士對奕，虬髯與公傍侍焉。俄而文皇到來，精彩驚人，長揖而坐。神氣清明，滿坐風生，顧盼煒如(42)也。道士一見慘然，下棋子曰：「此局全輸矣(43)！於此失卻局哉！救無路矣！復奚言！」罷奕而請去。既出，謂虬髯曰：「此世界非公世界，他方可也。勉之，勿以爲念。」因共入京。虬髯曰：「計李郎之程，某日方到。到之明日，可與一妹同詣某坊曲小宅相訪。李郎相從一妹，懸然如磬(44)。欲令新婦祗謁(45)，兼議從容(46)。

無前卻也。」言畢，吁嘘而去。

公策馬而歸。即到京，遂與張氏同往。乃一小版門子，叩之，有應者，拜曰：「三郎令候李郎一娘子久矣。」延入重門，門愈壯。婢四十人，羅列庭前。奴十二人，引公入東廳。廳之陳設，窮極珍異，箱中妝奩冠鏡首飾之盛，非人間之物。巾櫛妝飾畢，請更衣，衣又珍異。既畢，傳云：「三郎來了！」乃虬髯紗帽裼裘而來，亦有龍虎之狀(47)，歡然相見。催其妻出拜，蓋亦天人耳。遂延中堂，陳設盤筵之盛，雖王公家不侔(48)也。四人對饌訖，陳女樂十人，列奏於前，似從天降，非人間之曲。食畢，行酒。家人自東堂舁出(49)二十牀，各以錦繡帕覆之。既陳，盡去其帕，乃文簿鑰匙耳。虬髯曰：「此盡寶貨泉貝(50)之數。吾之所有，悉以充贈。何者？欲於此世界求事，當龍戰(51)三二十載，建少功業。今既有主，住亦何爲？太原李氏，眞英主也。三五年內，即當太平。李郎以奇特之才，輔清平之主，竭心盡善，必極人臣。一妹以天人之姿，蘊不世之藝，從夫之貴，以盛軒裳(52)。非一妹不能識李郎，非李郎不能榮一妹。起陸(53)之貴，際會(54)如期，虎嘯風生，龍吟雲萃(55)，固非偶然也。持余之贈，以佐眞主，贊功業也，勉之哉！此後十年，當東南數千里外有異事，是吾得事之秋也。一妹與李郎可瀝酒(56)東南相賀。」因命家童列拜，曰：「李郎、一妹，是汝主也！」言訖，與其妻從一奴，乘馬而去。數步，遂不復見。公據其宅，乃為豪家，得以助文皇締構(57)之資，遂匡天下。

貞觀十年，公以左僕射平章事(58)。適南蠻入奏曰：「有海船千艘，甲兵十萬，入扶餘國(59)，殺其主自立，國已定矣。」公心知虬髯得事也。歸告張氏，具衣拜賀，瀝酒東南祝拜之。乃知真人之興也，非英雄所冀。況非英雄乎？人臣之謬思亂者，乃螳臂之拒走輪(60)耳。我皇家垂福萬葉(61)，豈虛然哉！或曰：「衛公之兵法，半乃虬髯所傳耳。」

【注釋】

(1)江都──隋郡名，今江蘇揚州市。

(2)楊素──字處道，弘農華陰人，有文武才能。曾佐隋文帝楊堅滅陳，封越國公。文帝末年，擁立楊廣（隋煬帝），封楚國公。卒於煬帝大業二年（西元六〇六年）。

(3)西京──隋大興城，即唐之長安。隋文帝開皇二年（西元五八二年），建新都大興城（漢長安故城東南二十里）；煬帝以洛陽為東京，大興城為西京。

(4)踞牀──據几而坐，顯示尊貴和傲慢。

(5)捧出──扶擁而出。

(6)僭—超越本分。音ㄐㄧㄢˋ。

(7)負荷—擔負職責。

(8)扶危持顛—挽救危亡傾覆的局勢。

(9)李靖—字藥師，雍州三原人，與楊素友好。大業末年，李靖任馬邑郡丞，時煬帝巡幸江都。李靖察知李淵有異志，將赴江都密報煬帝，但道路阻隔，反被李淵所執，將斬之，靖大呼曰：「公起義兵，本爲天下除暴亂；不欲就大事，而以私怨斬壯士乎！」高祖壯其言，釋之，遂爲唐開國功臣，封衛國公。

(10)斂容—即正容，神色肅敬的樣子。

(11)騁辯—議論滔滔。

(12)紅拂—紅色拂塵。拂，拭去塵垢和驅除蚊蠅的器具。

(13)軒—長廊。

(14)處士—有才德，隱而不仕的人。

(15)誦—牢記。

(16)杖揭一囊—以杖挑一行囊。

(17)素面畫衣—臉上不施脂粉，但衣著華麗。畫衣，衣服色彩如畫。

(18)絲蘿—兔絲女蘿。古詩十九首：「與君爲新婚，兔絲附女蘿。」

(19)尸居餘氣—老朽將死，僅剩氣息而已。形容無所作爲，難以自保。

(20)窺戶者無停屨—謂不斷窺伺門外，看看是否有人追來。

(21)雄服—女扮男裝。

(22)排闥—推開門。闥，門也。音ㄊㄚˋ。

⑵靈石—今山西省靈石縣。
⑵中形—中等身材。
⑵赤髯而虬—赤色鬍鬚如虬龍蟠曲之狀。髯，鬚也。虬，龍子，形容蜷曲之狀。
⑵蹇驢—跛驢。
⑵欹臥—斜躺著。
⑵未決—怒氣未發作出來。
⑵一手映身—一隻手暗置身後。映，蔽，藏也。
⑶斂衽—整理衣襟，表示敬意。
⑶胡餅—黏附芝麻的燒餅。
⑶主人—店主人，此代指旅店。
⑶銜—銜恨，即懷恨。
⑶眞人—眞命天子。
⑶州將之子—指李世民。其父李淵當時爲太原留守。
⑶劉文靜—字肇仁，武功人。隋末任晉陽令，佐李淵起義反隋，封魯國公。
⑶狎—親近、熟悉。
⑶汾陽橋—在太原城東汾河上。
⑶裼裘而來—謂僅穿裼裘來，未加穿正服。古人穿著，裘上有衣，稱爲裼衣；裼衣之外，又加正服。
⑷二乘—指蹇驢和瘦驢。
⑷文皇—指李世民。唐太宗初謚文，故稱文皇。

(42)顧盼煒如——眼睛明亮，炯炯有神。煒如，光彩照人的樣子。
(43)此局全輸矣——以棋局全輸，比喻虬髯客已無爭奪帝位的希望，只有李世民才是眞命天子。
(44)懸然如磬——喻極爲貧窮，空無所有。磬，空也。
(45)新婦祇謁——新婦指虬髯客妻子。祇謁，恭敬的拜見。
(46)兼議從容——隨意敘談。
(47)龍虎之狀——即龍虎之姿，有帝王、英雄氣象。
(48)侔——相比。
(49)舁出——抬出來。
(50)泉貝——指金錢、貨幣。
(51)龍戰——指爭奪天下、王位的戰爭。
(52)軒裳——高官的車服，喻爵祿顯貴。軒，車子。裳，衣服。
(53)起陸——龍虎自地上升騰躍起，喻帝王興起。
(54)際會——君臣相遇合。
(55)虎嘯風生龍吟雲萃——喻天子登基，英雄豪傑聚集。
(56)瀝酒——釃酒。
(57)締構——創立大業。
(58)左僕射平章事——即宰相。唐制，以三省長官爲宰相。左右僕射，爲尚書省長官。平章事，表示行使宰相職權。
(59)扶餘國——古國名，在今遼寧省、吉林省一帶。本文置於東南，寓意而已。

(60)螳臂之拒走輪──比喻自不量力。

(62)垂福萬葉──傳福萬代。

【結構】

請列表說明李靖、紅拂女、虬髯客三人彼此見面的地點、事件和結果。

【問題】

一、唐傳奇在小說史上處何種地位？對後代戲曲有何影響？

二、請舉例說明李靖、紅拂女、虬髯客三人的形像？

三、作者刻意宣揚「非英雄所冀」的眞命天子思想，有何用意？請舉例明之。

四、虬髯客爲何要李靖佐眞主？自己卻遠去數千里之外呢？

五 縱囚論

歐陽修

【作者】

歐陽修，字永叔，號六一居士。江西廬陵人。

宋眞宗景德四年（西元一〇〇七年），歐陽修生。

眞宗大中祥符三年（西元一〇一〇年），四歲，父去世，母鄭氏守節教養他。家貧，常以荻畫地學書。

大中祥符九年（西元一〇一六年），十歲，於廢書簏中得韓愈遺稿，傾慕不已。

仁宗天聖八年（西元一〇三〇年），二十四歲，中進士，調西京（洛陽）推官，被留守錢惟演所重視。和留守幕府裡的古文家尹洙、詩人梅堯臣唱和，尹、梅二人後來成爲歐陽修改革文學運動的健將。

景祐元年（西元一〇三四年），二十八歲，回京任館閣校勘，參與編修崇文書目。

景祐三年（西元一〇三六年），三十歲，范仲淹因直言上諫被貶，修上書痛詆諫官，也被貶爲夷陵縣令。

慶曆三年（西元一〇四三年），三十七歲，還京知諫院，拜右正言，並奉命修起居注，知制誥。

慶曆五年（西元一〇四五年），三十九歲，上朋黨論，替韓琦、范仲淹辯護，遭小人誣陷，貶爲滁州刺史。在滁自號醉翁，有名的醉翁亭記就是這時作的。

皇祐元年（西元一〇四九年），四十三歲，知潁州，好當地西湖美景，有采桑子詞十闋，都是歌詠景物之作。

至和元年（西元一〇五四年），四十八歲，擢翰林學士，受命重修唐書。

嘉祐五年（西元一〇六〇年），五十四歲，新唐書修成，拜禮部侍郎，兼侍讀學士。不久升爲樞密副使。

嘉祐六年（西元一〇六一年），五十五歲，參知政事，和韓琦同心輔政，天下清平。

神宗熙寧四年（西元一〇七一年），六十五歲，與王安石政見不合，告老歸隱潁州。

熙寧五年（西元一〇七二年），歐陽修死。

歐陽修是宋代文學改革運動的領導者。又是散文詩詞各方面的大作家。蘇東坡說他是宋朝的韓愈，這是恰當的。以詩歌來說，韓詩險怪，歐詩卻淺明通達。著有歐陽文忠公集。

【題解】

唐太宗於貞觀六年（西元六三二年）親自審錄監獄裏三百多個死刑犯，把他們放回家，限令第二年秋天回來受刑，結果死囚無一人逃匿，於是太宗便全赦免了他們，仁德勸化乖戾，後人推崇不已。但歐陽修卻不以爲然，認爲立法施治應本乎人情，確立常法，天下才能久安，若矯情干譽，雖得令名，終不可爲天下法。在本文當中，歐陽修分別從事情本身，以及唐太宗、死刑囚、第三者的立場，對縱囚事做了委婉客觀、簡要中肯的評論，嚴而不苛、和而不同，頗具大家風範。

【本文】

信義行於君子，而刑戮⑴施於小人。刑入於死者，乃罪大惡極，此又小人之尤甚者也；寧以義死，不苟幸生，而視死如歸，此又君子之尤難者也。

方唐太宗⑵之六年，錄⑶大辟⑷囚三百餘人，縱使還家，約其自歸以就死⑸，是以君子之難能，期小人之尤者以必能也。其囚及期，而卒自歸無後者，是君子之所難，而小人之所易也，此豈近於人情哉？

或曰：「罪大惡極，誠小人矣，及施恩德以臨之，可使變而為君子；蓋恩德入人⑹之深，而移人之速，有如是者矣。」

曰：「太宗之為此，所以求此名也。然安知夫縱之去也，不意其必來以冀免，所以縱之乎？又安知夫被縱而去也，不意其自歸而必獲免，所以復來乎？夫意其必來而縱之，是上賊下之情⑺也；意其必免而復來，是下賊上之心⑻也。吾見上下交相賊⑼，以成此名也，烏⑽有所謂施恩德與夫知信義者哉？不然，太宗施德於天下，於茲六年矣，不能使小人不爲極惡大罪，而一日之恩，能使視死如歸而存信義，此又不通之論也。」

「然則何爲而可？」曰：「縱而來歸，殺之無赦，而又縱之而又來，則可知爲恩德之致爾，然此必無之事也。」

若夫縱而來歸而赦之，可偶一爲之爾，若屢爲之，則殺人者皆不死，是可爲天下之常法乎？不可爲常者，其⑾聖人之法乎？是以堯舜三王之治，必本於人情，不立異以爲高，不逆情⑿以干譽⒀。

【注釋】

(1)刑戮－刑罰。戮，音ㄌㄨˋ。

(2)唐太宗－唐高祖李淵的次子李世民，明敏勇決，知人善任，在位二十三年間海內昇平，威及域外，突厥尊爲「天可汗」。

(3)錄－審視囚犯的罪狀，看有無寃抑。

(4)大辟－死刑。

(5)就死－接受死刑。

(6)入人－影響人，感化人。

(7)上賊下之情－在上的人利用在下者的心理。賊，盜取。情，心意。

(8)下賊上之心－下位的人利用在上者的心理。

(9)交相賊－互相利用彼此的心理。

(10)烏－何，那。

(11)其－通「豈」。

(12)逆情－違逆人情。

(13)干譽－求取美好的名譽。干，求。

【結構】

本文爲「翻案」文章（將歷史定論推翻，而提出自己獨特的看法。）議論機警，氣勢暢盛。請將本文的綱目整理出來，而後由老師分析其結構。

【討論】

一、歐陽修認爲死囚如期而歸之事不合情理，其理由有那些？

二、對於歐陽修所持的理由，你有什麼看法？
三、如果你是死刑犯之一，是否如期回去呢？爲什麼？
四、囚犯回來後，唐太宗又把他們放了，你認爲其作法如何？如果是你，你將如何處理？
五、歐陽修在本文中的討論，有些許的漏洞，請把它找出來。

【附錄】

舊唐書本紀第三太宗下：

（貞觀六年）十二月辛未，親錄囚徒，歸死罪者二百九十人于家，令明年秋末就刑。其後應期畢至，詔悉原之。

新唐書本紀第二太宗：

（貞觀六年）十二月辛未，慮囚，縱死罪者歸其家。七年九月，縱囚來歸，皆赦之。

資治通鑑：

（貞觀六年十二月）辛未，帝親錄繫囚，見應死者，閔之，縱使歸家，期以來秋來就死。仍敕天下死囚，皆縱遣，使至期來詣京師。

（七年九月）去歲所縱死囚凡三百九十人，無人督帥，皆如期自詣朝堂，無一人亡匿者；上皆赦之。

六　西銘

張　載

【作者】

張載，字子厚，世居大梁（今河南省開封縣黃河之南），父親張廸出知涪州（四川省涪淩縣），住在陝西鳳翔郿縣的橫渠鎮，所以後人尊稱他爲「橫渠先生」。

宋眞宗天禧四年（西元一〇二〇年）生。

仁宗景祐四年（西元一〇三七年），十八歲，上書給宰相范仲淹，申說心中的抱負，獲范仲淹授以中庸。

嘉祐初年（西元一〇五六年），三十七歲，至京師（開封）與程顥、程頤討論道學。此年中進士，做雲嚴令（在陝西省），教化大行。

神宗熙寧初年（西元一〇六八年），四十九歲，調升爲崇文院校書官，與王安石不合，便託病辭官，回到故居橫渠，一面講學，一面著述。

熙寧九年（西元一〇七六年），五十七歲，受呂大防推薦出掌太常禮院，與官員議論禮制。

熙寧十年（西元一〇七七年），五十八歲，逝世。

張載幼時孤貧，勤奮自學，思慮精密，勇於實踐，爲關中理學的領袖，常以「爲天地立心，爲生民立命，爲往聖繼絕學，爲萬世開太平」自任，而以「知禮成性，變化氣質。」爲講學宗旨。其著作有東西銘、正蒙、經學理窟、易說、文集、語錄等。

【題解】

銘，是刻寫在石頭或器物上，用以敍述生平，贊頌功德，或惕勵自己的文字。張載在書房的東窗上寫了一篇銘言，叫做「砭愚」，又在西窗上寫了一篇，叫做「訂頑」，後來程伊川先生勸他改名，就成爲「東銘」與「西銘」。「東銘」論的是修養的工夫，是「盡己」之事，「西銘」則較「東銘」精純博大，揭示了以天地萬物爲一體的人生觀。他認爲宇宙天地爲一大家族，全人類爲一大家庭，大家休戚相關，應彼此友愛。所以他主張先親親而後仁民，仁民而後愛物，以己爲始，以萬物一體爲終。他這種思想把「仁」的精神發揮得淋漓盡致。

【本文】

乾稱父，坤稱母(1)，予茲藐焉，乃混然中處(2)。故天地之塞，吾其體，天地之帥，吾其性(3)，民吾同胞，物吾與也(4)。

大君者，吾父母宗子(5)，其大臣，宗子之家相也(6)。尊高年，所以長其長，慈孤弱，所以幼其幼。聖其合德(7)，賢其秀也(8)。凡天下疲癃殘疾(9)，惸獨鰥寡(10)，皆吾兄弟之顚連(11)而無告者也。

于時保之，子之翼也(12)，樂且不憂，純乎孝者也(13)。違曰悖德，害仁曰賊。濟惡者不才(14)，其踐形惟肖者也(15)。

知化則善述其事(16)，窮神(17)則善繼其志。不愧屋漏(18)爲無忝(19)，存心養性爲匪懈(20)。惡旨酒，崇伯子之顧養(21)。育英才，潁封人之錫類(22)。不弛勞而底豫，舜其功也(23)。無所逃而待烹，申生其恭也(24)。體其受而歸全者，參乎(25)。勇於從而順令者，伯奇也(26)。

富貴福澤，將厚吾之生也；貧賤憂戚，庸玉女於成也(27)。存，吾順事；沒，吾寧(28)也。

【注釋】

(1)乾稱……母—乾指天，坤指地。這句是說：萬物皆禀受天地陰陽之氣以生，故天地爲人類共同的父母。

(2)予茲……中處—藐，渺小。本句是說：渺小的我，和萬物合一，處在天地之間。

(3)天地……性—塞，充滿。帥，主宰。此句是說：充滿於天地之間的氣，形成我的身體，主宰天地的理，形成我的性情。

(4)物吾與也—與，同黨、同類。此句是說：萬物都是我的朋友。

(5)大君……宗子—大君，指天子。宗子，指嫡長子，古時以嫡長子主祭祀，爲族人所宗，故稱宗子。大君秉承天地之命，統理人世，故稱宗子。

(6)家相也—家臣之長。

(7)聖其合德—合，同。聖人是和天地同德的人。

(8)賢其秀也—秀，特出。賢者是天地中才德特出的人。

(9)疲癃殘疾—衰頹老病的樣子。癃，音ㄌㄨㄥˊ。

(10)惸獨鰥寡—無兄弟稱惸（ㄑㄩㄥˊ），無子孫稱獨，老而無妻稱鰥（ㄍㄨㄢ），老而無夫稱寡。

(11)顛連—顛沛流離。

(12)于時……翼也—于時，即於是。保，養。翼，助。此句是說：養恤顛連無告者，乃是在輔佐天地。

(13)樂且……孝者也—樂行天道，不憂貧賤，是天地的純孝子。

(14)濟惡……不才—濟，助。此句是說：助長罪惡的是天地的不肖子。

(15)其踐……者也—踐形，把道理實踐出來。本句是說：能盡人性，才是克肖天地的好兒女。

(16)知化……其事—知化，知道天地的變化。述，繼承。

(17)窮神—深通天地的神妙。

(18)屋漏—屋子之西北角，指隱暗之處。

(19)無忝—不辱。忝，音ㄊㄧㄢˇ。

(20)匪懈—匪，通「非」。

(21)惡旨……顧養—旨酒，美酒。崇伯子，指夏禹。夏禹能厭惡美酒，遏止私欲，所以能惠及百姓。

(22)育英……錫類—潁封人，指潁考叔。錫類，賜善於同類。潁考叔樂育英才，所以惠及同類。

(23)不弛……功也—底，達。豫，樂。此句是說：舜由於努力不懈，不貪圖逸樂，才能有偉大的功勞。

(24)無所……恭也—申生，春秋時晉獻公太子，被讒蒙冤，不肯逃命而待死。此句是說：申生不逃避死亡，而面對事實，才能有像恭順的美名。

(25)體其……參乎—參，曾參。曾參能體認自己的身軀是受自父母，而保持完整。此句是說：能體認形體受自天地，而能完好歸還，就像曾參了。

(26)勇於……奇也—伯奇，周人，君吉甫之子，他的後母無故將他趕出家門，他便履霜中野，集荷爲衣，採花爲食。此句是說：能勇敢的服從而依順天命，就有如伯奇了。

(27)庸玉女於成—庸，通「用」，用來。玉，寶愛、成全。女，通「汝」。此句是說：用以磨練你，使你成人。

(28)寧—安。

【討論】

一、試述西銘篇的要旨。

二、何謂「踐形惟肖」？本文舉出那些例證說明踐形惟肖者？

三、西銘篇對富貴貧賤的看法如何？

七　祭歐陽文忠公文

王安石

【作者】

王安石，字介甫，晚年號半山，江西臨川人。

宋眞宗天禧五年（西元一〇二一年）生。

仁宗慶曆二年（西元一〇四二年），廿二歲，中進士。

嘉祐三年（西元一〇五八年），三十八歲，任三司度支判官，上萬言書，主張變法。

神宗熙寧二年（西元一〇六九年），四十九歲，任參知政事，爲副相，議行新法。

熙寧三年（西元一〇七〇年），五十歲，任宰相。

熙寧七年（西元一〇七四年），五十四歲，乞請罷相，爲觀文殿大學士，知江陵府。

熙寧八年（西元一〇七五年），五十五歲，再度爲相。

熙寧九年（西元一〇七六年），五十六歲，不爲舊黨所容，稱病去位，任鎭南節度使。

元豐元年（西元一〇七八年），五十八歲，爲尙書左僕射，封舒國公。

元豐三年（西元一〇八〇年），六十歲，改封荊國公。

哲宗元祐元年（西元一〇八六），六十六歲，死，諡文忠。

王安石少年好讀書，過目不忘，作文時動筆如飛，又很自負，慨然有矯世變俗的志氣，上萬言書時曾主張「法先王之意，改易更革，因天下力，生天下之財，供天下之費，願監苟且因循之弊，期合於當世之變。」後來任宰相變法，大抵便是依據此一方向策劃施行的。

當他尚未顯貴時，因詩文佳妙而名震京師，可是他生性倔強，不聽別人意見，與人辯論，動輒數百言，加上推行新政無效，爲世詬病，所以其文章在八大家中較少爲人稱道，他的文章精深高遠，議論高奇，是不容輕易抹滅的。

【題解】

王安石年輕時文辭已很精妙，經他的友人曾鞏引介給歐陽修，頗得歐氏推重，並極力薦舉，歐氏死後，王安石寫這一篇祭文來悼念他。文中，除了推崇歐氏的文章、功業、操節外，並藉以申述自己仰慕瞻依之情。

【本文】

夫事有人力之可致，猶不可期，況乎天理之冥漠(1)，又安可得而推？惟公生有聞於當時，死有傳於後世，苟能如此足矣，而亦又何悲？

如公器質(2)之深厚，智識之高遠，而輔以學術之精微，故充於文章，見於議論，豪傑俊偉，怪巧瑰琦(3)。其積於中者，浩如江河之停蓄(4)；其發於外者，爛如日星之光輝；其清音幽韻(5)，淒如飄風急雨之驟至(6)；其雄辭閎辯，快如輕車駿馬之奔馳。世之學者，無問乎識與不識，而讀其文，則其人可知。

嗚呼！自公仕宦四十年，上下往復，感世路之崎嶇，雖屯邅(7)困躓(8)，竄斥流離(9)，而終不可掩者，以其公議之是非。既壓復起，遂顯於世，果敢之氣，剛正之節，至晚而不衰。

方仁宗皇帝(10)臨朝之末年，顧念後事(11)，謂如公者，可寄以社稷之安危。及夫發謀決策(12)，從容指顧(13)，立定大計，謂千載如一時(14)。功名成就，不居而去，其出處進退，又庶乎英魄靈氣，不隨異物(15)腐散，而長在乎箕山之側，與潁水之湄(16)。然天下之無賢不肖，且猶為涕泣而歔欷(17)，而況朝士大夫，平昔游從，又予心之所嚮慕而瞻依(18)！

嗚呼！盛衰興廢之理，自古如此，而臨風想望，不能忘情者，念公之不可復見，而其誰與歸？

【注釋】

(1)冥漠—深奧難知。冥，深遠。漠，沉寂。
(2)器質—器度才質。
(3)怪巧瑰琦—怪巧，奇異精巧。瑰琦，奇特不凡。
(4)積於中……停蓄—比喻文章蘊含著雄厚的氣勢。
(5)清音幽韻—鏗鏘有力、優雅典贍的文辭。
(6)淒如……驟至—比喻文辭凌厲厚實，銳不可當。
(7)屯邅—難行不進的樣子，邅，ㄓㄢ。
(8)困躓—境遇困難。躓，ㄓˋ，遇阻礙而跌倒。
(9)竄斥流離—遭放逐而轉徙離散。竄，流放。斥，棄逐。
(10)仁宗皇帝—宋眞宗第六子，名禎，在位四十一年（西元一〇二三—一〇六三），為宋代第一仁君。
(11)顧念後事—掛念身後的事。
(12)發謀決策—倡議謀畫，決定策略。

(13)從容指顧－指揮若定，不慌不忙。

(14)千載如一時－千年難逢的人才。

(15)異物－死亡的軀體。

(16)長在乎箕山……之湄－指英氣長存，萬古不滅。湄，濱。許由，堯時隱士，隱居於沛澤，堯曾想讓天下給他，他不接受，遁耕於潁水之濱，箕山之下。堯又想召他當九州之長，許由不想聽，洗耳於潁水之濱。箕山，在河南登封縣東南。潁水，源於登封縣陽乾山。

(17)歔欷－ㄒㄩ，ㄒㄧ，悲痛哭泣而抽息。

(18)瞻依－尊重而親近。

【討論】

一、王安石從那些方面推崇歐陽脩？請細加整理。

二、本篇祭文的形式有何特色？（含駢散、用韻、作法等）

八　赤壁賦

蘇　軾

【作者】

蘇軾，字子瞻，四川眉山人。

宋仁宗景祐三年（西元一〇三六年），蘇軾生。父洵，母程氏。

宋仁宗慶曆五年（西元一〇四六年），十一歲，程氏親自教他讀書，經常問他古今成敗之理，而能說出要點。有一次，程氏讀後漢書至范滂傳時，慨然長嘆，軾就說自己要是當范滂，母親答不答應？程氏非常贊許他。

宋仁宗嘉祐二年（西元一〇五七年），二十二歲，參加禮部考試，主考歐陽修擢置進士第二，後以春秋對策列第一。是年四月母逝世，服喪三年。

宋仁宗嘉祐四年（西元一〇五九年），二十四歲，授河南福昌縣主簿，後調鳳翔府判官。

宋英宗治平二年（西元一〇六五年），三十歲，召入京直史館。

宋英宗治平三年（西元一〇六六年），三十一歲，父洵病卒，扶柩歸葬。

宋神宗熙寧四年（西元一〇七一年），三十六歲，王安石創行新法，軾上書言不便，與安石意見相左，遂請外調，作杭州通判三年。其後改知密州，再徙徐州而湖州。

宋神宗元豐二年（西元一〇七九年），四十四歲，言事之官拾取他的詩語，以爲訕謗，逮赴臺獄，但是經過蒐求證據的結果，久未定讞。是年十二月二十九日，神宗特命以黃州團練副使安置他。在黃州五年，試築室於黃州的東坡，以讀書、作詩、遊覽名勝，結交方外自遣，自號東坡居士。

宋神宗元豐八年（西元一〇八五年），五十歲，奉旨放還，定居常州。神宗崩，哲宗立，司馬光拜相。軾復起，歷官起居舍人、翰林學士、知制誥。

宋哲宗元祐四年（西元一〇八九年），五十四歲，以龍圖閣學士，知杭州。在杭始築蘇堤。

宋哲宗元祐七年（西元一〇九二年），五十七歲，召還，歷兵部尙書，禮部尙書、兼端明殿翰林、侍讀二學士。

宋哲宗紹聖元年（西元一〇九四年），五十九歲，章惇拜相，復行新法，元祐大臣都遭斥逐，軾被貶寧遠軍節度副使，惠州安置。居三年，又貶瓊州別駕，昌化安置。

宋徽宗建中靖國元年（西元一一〇一年），六十六歲，逢大赦北還，復朝奉郎，提舉成都玉局觀，是年卒於常州，謚文忠。

蘇軾是一位多才多藝的人，他集策論、詩詞、書法、繪畫、圍棋……各方面名家於一身。他不但從事於創作，又是一個理論家，論文主達意，論詩主妙遠，論詞主曠達。更難得的是，他具有一付超逸不凡，忘懷得失的胸襟，所以能特立獨行，不論是器識、議論、文章、政事，都有傑出的表現。他的著作有易、書傳、論語說、唐書辨疑、東坡全集、仇池筆記、東坡志林等。

【題解】

賦是介於詩與散文中間的文體—有詩之音律之美，兼散文鋪陳之便，起始於荀子，流行於兩漢。

湖北稱赤壁的有四處：一在嘉魚縣東北，即周瑜用火攻大破曹操處；一在武昌縣東南，也名赤磯或赤圻；一在漢陽縣沌口的臨漳山，有峯叫烏林，俗稱赤壁；一在黃岡縣城外的赤鼻磯，即東坡所遊處。由於同名之故，所以與作者同遊的客人很自然就想起曹操，而激起一些情愫。

宋神宗元豐二年（西元一〇七九年），蘇軾四十四歲，謫居黃州，任團練副使。五年秋天，他和客人出遊湖北黃岡城外的赤壁，感人生之浮暫，遂作此賦。當年十月再遊，又作一賦，名「後赤壁賦」。

【本文】

壬戌(1)之秋，七月既望(2)，蘇子與客泛舟遊於赤壁之下。清風徐來，水波不興，舉酒屬客(3)，誦明月之詩，歌窈窕之章(4)。少焉，月出於東山之上，徘徊於斗牛(5)之間，白露橫江，水光接天，縱一葦之所如(6)，凌(7)萬頃之茫然，浩浩(8)乎如馮虛御風(9)，而不知其所止，飄飄(10)乎如遺世獨立，羽化(11)而登仙。

於是飲酒樂甚，扣舷(12)而歌之。歌曰：「桂棹兮蘭槳(13)，擊空明兮泝流光(14)，渺渺兮予懷，望美人(15)兮天一方。」客有吹洞簫者，倚歌而和之，其聲嗚嗚然，如怨如慕，如泣如訴，餘音嫋嫋(16)，不絕如縷；舞幽壑之潛蛟，泣孤舟之嫠婦(17)。

蘇子愀然，正襟危坐，而問客曰：「何爲其然也？」

客曰：「『月明星稀，烏鵲南飛⒅。』此非曹孟德⒆之詩乎？西望夏口⒇，東望武昌，山川相繆(21)，鬱乎蒼蒼，此非孟德之困於周郎(22)者乎？方其破荊州，下江陵(23)，順流而東也，舳艫(24)千里，旌旗蔽空，釃酒臨江(25)，橫槊(26)賦詩，固一世之雄也，而今安在哉？況吾與子漁樵於江渚之上，侶魚蝦而友麋鹿，駕一葉之扁舟，舉匏樽(27)以相屬，寄蜉蝣於天地(28)，渺滄海之一粟？哀吾生之須臾，羨長江之無窮，挾飛仙以遨遊，抱明月而長終(29)。知不可乎驟得，託遺響於悲風。(30)」

蘇子曰：「客亦知夫水與月乎？逝者如斯，而未嘗往也(31)，盈虛者如彼，而卒莫消長也(32)。蓋將自其變者而觀之，則天地曾不能以一瞬，自其不變者而觀之，則物與我皆無盡也，而又何羨乎？且夫天地之間，物各有主，苟非吾之所有，雖一毫而莫取。惟江上之清風，與山間之明月，耳得之而為聲，目遇之而成色，取之無禁，用之不竭，是造物者之無盡藏也，而吾與子之所共適。」

客喜而笑，洗盞更酌(33)。肴核(34)既盡，杯盤狼藉，相與枕藉(35)乎舟中，不知東方之既白。

【注釋】

(1)壬戌—宋神宗元豐五年（西元一〇八二年），作者四十七歲。

(2)既望—已經望日。陰曆小月十五，大月十六為望。

(3)舉酒屬客—為客倒酒。屬，注。

(4)誦明月……之章—明月之詩，指詩經陳風月出篇。這首詩共三章，都是吟詠窈窕佳人引人愛慕，卻思求不得的詩，所以說是窈窕之章。

(5)斗牛—斗宿、牛宿。

(6)縱一葦之所如—任由小船在江面飄流。葦，蘆葦，指小船。如，往。

(7)凌—渡過、越過。

(8)浩浩—寬舒無束。

(9)馮虛御風—馮同憑。虛，天空。御風，駕風而行。

(10)飄飄—輕快自如。

(11)羽化—道家稱飛騰遠行為羽化。

(12)扣舷—扣，敲；舷，船邊。

(13)桂棹兮蘭槳—船尾的長槳的叫棹，船邊較短的叫槳。以桂為棹，以蘭為槳，比喻質美。

(14)擊空……流光—空明，倒映水中的明月。泝，逆水而上。流光，隨波動盪的月光。

⒂美人—多用以比喻在朝的賢人君子，與前文「明月之詩」相應。
⒃嫋嫋—指聲音悠揚搖曳的樣子。嫋，音ㄋㄧㄠˇ。
⒄嫠婦—寡婦。嫠，音ㄌㄧˊ。
⒅月明……南飛—曹操短歌行：「對酒當歌，人生幾何。……月明星稀，烏鵲南飛，繞樹三匝，無枝可依。山不厭高，水不厭深，周公吐哺，天下歸心。」（吐哺，吐掉口中的飯，急著去接見賢臣。）這是曹操自述心志，想在短暫人生中建立功業的詩。
⒆曹孟德—曹操字孟德。
⒇夏口—今湖北漢口。
(21)繆—纏繞。音ㄇㄡˊ。
(22)孟德之困於周郎—周郎，周瑜。建安十三年（西元二〇八年），曹操率軍由荊州沿江東下，孫權派周瑜與劉備合力抗曹，大戰於赤壁，曹操兵敗北走。
(23)江陵—今湖北江陵縣。
(24)舳艫—方長的船叫舳（ㄓㄡˊ）艫（ㄌㄨˊ）
(25)釃酒臨江—面對江流酌酒。釃，音ㄙ。
(26)槊—長矛。
(27)匏樽—酒杯。匏，音ㄆㄠˊ。

(28) 寄蜉蝣於天地—蜉蝣，小蟲名，壽命極短，朝生而暮死。這句是說：以短暫「如蜉蝣」之生命寄存於天地之間。

(29) 挾飛……長終—與仙人同遊，與明月同存。遨遊，遠遊。

(30) 託遺響於悲風—遺響，餘音。悲風，秋風。

(31) 逝者……往也—斯，此指水。水雖不停地流去，但江中依舊有水，意謂萬物雖時刻萬變，且其本質卻未嘗變動。

(32) 盈虛……長也—盈，滿。虛，虧缺。彼，月。卒，始終。月亮雖有圓缺，但本身卻始終沒有增損。

(33) 更酌—重新添酒。

(34) 肴核—熟肉爲肴，水果爲核。

(35) 枕藉—縱橫相枕而睡。藉，鋪墊。

【討論】

一、客人因曹操的事而興起什麼感慨呢？

二、蘇軾對人生的看法如何？你又認爲如何？

九　登泰山記

姚　鼐

【作者】

姚鼐，字姬傳，清安徽桐城人，世稱惜抱先生，生於清世宗雍正九年（西元一七三一年）。幼年時，家貧而又多病，但極好學，曾從伯父姚範學習經書，又追隨同邑劉大櫆學習古文。高宗乾隆二十八年（西元一七六三年），中進士，曾任翰林院庶吉士、兵部主事，刑部郎中、四庫館纂修等職。因病告歸江南，先後在紫陽、鍾山等書院講學，共四十餘年。仁宗嘉慶二十年（西元一八一五年），病死在鍾山書院，年八十五。

姚鼐容貌清癯，神采飛揚，淡泊名利。論學主張義理、考據、辭章三者並重，為文秉承同鄉方苞、劉大櫆之風範，講求謹嚴高古，曾編纂「古文辭類纂」一書，分類收集古文，確立桐城派之地位。

【題解】

泰山，又名岱宗，為中國五嶽之一，在山東泰安縣北，周圍一百六十里，高四十餘里。形勢雄偉，氣象萬千，古代帝王多到此「封禪」（祭祀天地）。

本篇是乾隆三十九年十二月遊山所記，記景細膩，地理觀念明確，與雄深之議論文完全不同。

【本文】

泰山之陽(1)，汶水(2)西流，其陰，濟水(3)東流。陽谷皆入汶，陰谷皆入濟，當其南北分者，古長城(4)也；最高日觀峯(5)，在長城南十五里。

余以乾隆三十九年(6)十二月，自京師乘風雪，歷齊河、長清(7)，穿泰山西北谷，越長城之限(8)，至於泰安(9)。是月丁未，與知府朱孝純子潁(10)，由南麓登，四十五里，道皆砌石為磴(11)，其級七千有餘。泰山正南面有三谷，中谷繞泰安城下，酈道元(12)所謂環水(13)也。余始循以入，道少半，越中嶺，復循西谷，遂至其巔。古時登山，循東谷入，道有天門；東谷者，古謂之天門谿水，余所不至也。今所經中嶺及山巔崖限當道者，世皆謂之天門云，道中迷霧、冰滑，磴幾不可登。及既上，蒼山負雪，明燭(14)天南。望晚日照城郭，汶水、徂徠(15)如畫，而半山居霧若帶然。

戊申晦(16)，五鼓(17)，與子潁坐日觀亭待日出，大風揚積雪擊面。亭東自足下皆雲漫，稍見雲中白若摴蒱(18)數十立者，山也。極天雲一線異色，須臾成五采，日上正赤如丹(19)，下有紅光動搖承之；或曰：「此東海也。」回視日觀以西峯，或得日，或否，絳皜駁色[20]，而皆若僂[21]。

亭西有岱祠[22]，又有碧霞元君祠[23]，皇帝行宮[24]在碧霞元君祠東。是日觀道中石刻，自唐顯慶[25]以來，其遠古刻盡漫[26]失；僻不當道者，皆不及往。

山多石少土，石蒼黑色，多平方，少圓。少雜樹，多松，生石罅[27]，皆平頂。冰雪，無瀑水，無鳥獸音迹。至日觀數里內無樹，而雪與人膝齊。桐城姚鼐記。

【注釋】

(1)陽—山南水北爲陽，山北水南爲陰。

(2)汶水—源於山東萊蕪縣東北原山，至汶上縣流入運河。

(3)濟水—源於河南濟源縣王屋山，向東南流入黃河。

(4)古長城—指戰國以前，沿著黃河，順著泰山而築的古城，在肥城縣西北，平陰縣東北，長千餘里，與萬里長城不同。

(5)日觀峯—在泰山東南山頂。

(6)乾隆三十九年—西元一七七四年，作者時年四十四歲。

(7)齊河、長清—都在山東省。
(8)限—界隔。
(9)泰安—清山東省府名。
(10)朱孝純子穎—朱孝純，字子穎，山東歷城人。乾隆時進士，能詩善畫，才氣雄放，爲姚鼐所推重。
(11)磴—音ㄉㄥˋ，石階。
(12)酈道元—字善長，北魏范陽人，好學博覽，著有水經注四十卷。
(13)環水—源於泰山南麓，向東流入汶水。
(14)燭—照。
(15)徂徠—山名，在今泰安縣東南四十里。
(16)晦—陰曆每月的最後一天。
(17)五鼓—古時夜間用鼓報更，所以叫幾更爲幾鼓。漢魏以來，自黃昏至天曉，分爲五刻，擊鼓五次；五鼓是天將亮時。
(18)樗蒱—音ㄕㄨ　ㄆㄨˊ，形像跳棋一般的賭具。
(19)丹—硃砂。
(20)絳皜駁色—紅白顏色相間。絳，深紅色。皜，白色。駁，混合夾雜。
(21)僂—音ㄌㄡˊ，彎背。

(22)岱祠—也稱嶽廟，祠中祭祀泰山之神——東嶽大帝。

(23)碧霞元君祠—宋眞宗時所建，祭祀天仙玉女碧霞元君。碧霞元君據說是東嶽大帝的女兒，眞宗封爲「天仙玉女碧霞元君。」

(24)行宮—君主出巡棲息的地方。

(25)顯慶—唐高宗的年號。

(26)漫—模糊不清。

(27)罅—音ㄒㄧㄚˋ，裂縫。

【討論】

一、請以本文爲例說明「桐城派」文章的特色。

二、本文描寫景色的文字相當簡潔，意象卻很豐富，請舉二個例子加以說明。

一〇　臺灣通史序

連　橫

【作者】

連橫，字武公，號雅堂，又號劍花。原籍福建省龍溪縣，清初搬來台灣，到他已經過了七代二百餘年。清德宗光緒四年（西元一八七八年），生於台南府寧南坊的馬兵營。光緒十六年（西元一八九〇年），十三歲，其父買台灣府志教他讀，並告戒他說：台灣人不可不知台灣歷史。於是立志作台灣的通史。

光緒二十三年（西元一八九七年），二十歲，主持台灣日報社（後改名台南新報）漢文部。（當時台灣已割給日本）

光緒卅一年（西元一九〇五年），二十八歲，回廈門創辦福建日日新報，並加入同盟會，鼓吹革命。後來報館遭清廷封閉，乃回台灣任職台南新報。

民國元年（西元一九一二年），三十五歲，到日本，再轉赴上海，遊歷南京、杭州，主編華僑聯合會所發行的華僑雜誌。

民國二年（西元一九一三年），三十六歲，至北京參加華僑選舉國會議員，並接受清史館館長趙爾巽延聘入館任職，因得盡閱館中所藏有關台灣省建省檔案。

民國三年（西元一九一四年），三十七歲，再任職北京清史館，年末返台灣，開始整理所搜得的資料，寫台灣通史。

民國七年（西元一九一八年），四十一歲，台灣通史寫成。
民國九年（西元一九二〇年），四十三歲，台灣通史出版。
民國十二年（西元一九二三年），四十六歲，三次到日本，研究國際形勢。
民國二十二年（西元一九三三年），五十六歲，全家回上海。
民國二十五年（西元一九三六年），五十九歲，逝世於上海。

他的著作除台灣通史外，還有台灣詩乘六卷，台灣語典四卷、劍花室文集、大陸詩草、大陸遊記、台灣贅談、台灣漫錄、台灣古蹟誌，並曾校訂有關台灣著作三十八種，合為「雅堂叢刊」。

【題解】

台灣通史記載台灣史事，起自隋煬帝大業元年（西元六〇五年），終於割讓（西元一八九五年），歷一千二百九十年。此書模仿中國正史體裁，共三十六卷，包括開闢、建國、經營、獨立四篇紀；疆域、職官、戶役、田賦、度支、典禮、教育、刑法、軍備、外交、撫墾、城池、關征、榷賣、郵傳、糧運、鄉治、宗教、風俗、藝文、商務、工藝、農業、虞衡等二十四篇志，和八篇列傳，另外附有許多圖表，時間和數字的記載很詳細。

此書搜羅的材料極多，文章也很優美流暢，而且處處充滿堅強的民族意識、大膽的民權思想、進步的民生主義史觀。曾於民國三十九年獲得先總統　蔣公明令褒揚。

此書寫成後，在台北自己校對印刷，民國九年印出上冊、中冊，十年印出下冊。民國三十五年，由商務印書館在重慶初版，三十六年在上海初版，分上下兩冊。

本篇序文為作者在民國七年，此書完成後的自序，用以說明他所以修台灣通史的理由。

【本文】

臺灣固無史也。荷人啓之(1)，鄭氏作之(2)，清代營之(3)，開物成務(4)，以立我丕基(5)，至於今三百有餘年矣，而舊志誤謬(6)，文采不彰(7)，其所記載，僅隸有清一朝(8)，荷人、鄭氏之事，闕而弗錄(9)，竟以島夷海寇(10)視之。嗚呼！此非舊史氏(11)之罪歟？且府志重修於乾隆二十九年(12)，臺、鳳、彰、淡諸志(13)，雖有續修，侷促一隅(14)，無關全局，而書又已舊。苟欲以二三陳編(15)而知臺灣大勢，是猶以管窺天，以蠡測海(16)，其被囿(17)也亦巨矣。

夫臺灣固海上之荒島爾！蓽路藍縷(18)，以啓山林，至於今是賴(19)。顧(20)自海通以來，西力東漸(21)，運會之趨(22)，莫可阻遏(23)，於是而有英人之役(24)，有美船之役(25)，有法軍之役(26)，外交兵禍，相逼而來，而舊志不及載也。草澤(27)群雄，後先崛起(28)，朱林(29)以下，輒啓兵戎(30)，喋血山河(31)，藉言恢復(32)，而舊志亦不備載也。續以建省之議(33)，開山撫番(34)，析疆(35)增吏，正經界(36)，籌軍防，興土宜(37)，勵教育，綱舉目張(38)，百事俱作，而臺灣氣象一新矣。

夫史者，民族之精神，而人群之龜鑑⑶⑼也，代之盛衰，俗之文野，政之得失，物之盈虛，均於是乎在，故凡文化之國，未有不重其史者也。古人有言：「國可滅而史不可滅⑷⑽。」是以郢書燕說⑷⑴，猶存其名，晉乘楚杌⑷⑵，語多可採，然則臺灣無史，豈非臺人之痛歟？

顧修史固難，修臺之史更難，以今日而修之尤難。何也？斷簡殘編⑷⑶，蒐羅匪易⑷⑷，郭公夏五⑷⑸，疑信相參⑷⑹，則徵文⑷⑺難。老成凋謝⑷⑻，莫可諮詢，巷議街譚⑷⑼，事多不實，則考獻⑸⑽難。重以改隸⑸⑴之際，兵馬倥傯⑸⑵，檔案⑸⑶俱失，私家收拾，半付祝融⑸⑷，則欲取金匱石室之書⑸⑸，以成風雨名山之業⑸⑹，而有所不可。然及今為之，尚非甚難，若再經十年、二十年而後修之，則眞有難為者。是臺灣三百年來之史，將無以昭示⑸⑺後人，又豈非今日我輩之罪乎？

橫不敏⑸⑻，昭告神明，發誓述作，兢兢業業⑸⑼，莫敢自遑⑹⑽，遂以十稔⑹⑴之間，撰成臺灣通史。為紀四，志二十四，傳六十，凡八十有八篇，表圖附焉。起自隋代⑹⑵，終於割據，縱橫上下(63)，鉅細靡遺(64)，而臺灣文獻於是乎在。

洪維(65)我祖宗，渡大海，入荒陬(66)，以拓殖斯土，爲子孫萬年之業者，其功偉矣。追懷先德，眷顧(67)前途，若涉深淵，彌自儆惕(68)。烏乎！念哉！凡我多士(69)，及我友朋，惟仁惟孝，義勇奉公，以發揚種性(70)，此則不佞之幟(71)也。婆娑之洋(72)，美麗之島(73)，我先王先民之景命(74)，實式憑之(75)。

大正七年(76)，秋八月朔日(77)，臺南連橫雅堂自序於劍花室。

【注釋】

(1)荷人啓之—荷蘭人開發台灣。啓，開發。荷蘭人於明熹宗天啓四年（西元一六二四年）八月進入台灣，至永曆十五年（西元一六六一年）二月爲鄭成功所逐，共三十七年。

(2)鄭氏作之—鄭氏建設台灣。作，創造。鄭成功到台灣後，廢除荷蘭人的榨取政策，教官兵屯田，訂法律，設官職，立學校，修道路等。其子鄭經，孫鄭克塽又續力建設，直到清統治爲止。

(3)清代營之—清朝經營台灣。營，經營。清自康熙二十二年（西元一六八三年）八月開始統治台灣，至光緒二十一年（西元一八九五年）割讓給日本，共二百一十二年。

(4)開物成務—開發利用物資，完成事務。指各種政治、經濟、社會制度等。

(5)丕基—宏大的基業。丕，大。

(6)舊志誤謬—舊有的府、廳、縣志，錯誤很多。舊志，指台灣舊有的府縣諸志。
(7)文采不彰—文詞不優美順暢。
(8)僅隸有清一朝—只有滿清一代的事蹟。隸，屬，包括。有清一朝，清朝，有，助詞。
(9)闕而弗錄—缺漏而沒有記錄。
(10)島夷海寇—島國夷狄，海上強盜。島夷，指荷蘭人。海寇，指鄭氏。
(11)舊史氏—舊史的作者。
(12)府志重修於乾隆二十九年—台灣府志是在乾隆二十九年重新修訂的。（表示那時到現在都沒重修過）。乾隆二十九年（西元一七六四年）。余文儀續修台灣府志或云在乾隆廿五年。
(13)台、鳳、彰、淡諸志—嘉慶十二年（西元一八〇七年），薛志亮續修台灣縣志八卷。乾隆二十九年，王瑛曾重修鳳山縣志十二卷。道光十年（西元一八三〇年），李廷璧修彰化縣志。同治十年（西元一八七一年），楊浚修淡水廳志八卷。
(14)侷促一隅—拘限於一部分。侷促，拘限。隅，角落、邊地。
(15)陳編—陳舊的史書。
(16)以管窺天，以蠡測海—比喻所見甚小。管，竹管子。窺，觀。蠡（ㄌㄧˊ），葫蘆瓢。從竹管裡看天，用葫蘆瓢測海水。
(17)囿—音ㄧㄡˋ，拘束，限制。
(18)蓽路藍縷—乘坐柴車，穿著破衣。蓽路，用荊條或竹子做的車。藍縷，破的衣服。
(19)是賴—即「賴是」，依賴著這些。是，此，指蓽路藍縷，以啓山林。
(20)顧—但是。

(21)西力東漸──西洋勢力向東方侵入。漸，ㄐㄧㄢˋ，浸潤，由淺入深，由近及遠。

(22)運會之趨──時勢的趨向。運會，時運際會。

(23)阻遏──阻止。遏（ㄜˋ），阻止。

(24)英人之役──清道光二十年（西元一八四〇年）鴉片戰爭起，英人曾分兵台灣，二十一年英艦侵基隆，二十二年又擾大安港，一直到同治年間，英人時有騷擾，屢起交涉。

(25)美船之役──清同治六年（西元一八六七年）美商船挪威號遇風飄至台灣南部海岸，觸礁沉沒，船中人上岸為土人殺害，引起美兵與土人間的戰爭。

(26)法軍之役──清光緒十年（西元一八八四年）中法之戰，法國曾派兵攻基隆、滬尾，次年陷澎湖，法將領孤拔戰死。

(27)草澤──指民間。草澤，猶草莽，有草、有水的地方。

(28)崛起──特起，突起。不平凡地興起。

(29)朱林──朱一貴於康熙六十年（西元一七二一年）五月從岡山起事。林爽文於乾隆五十一年（西元一七八六年）起事。

(30)輒起兵戎──常常發生戰事。輒（ㄓㄜˊ），常常。

(31)喋血山河──河山染血，形容殺人眾多。喋血，同「蹀血」，流血滿地，腳踏著血走。

(32)藉言恢復──以復明為藉口、號召。朱林起兵，均以排滿復明為口號。藉，借。

(33)建省之議──清同治十三年（西元一八七四年），欽差大人沈葆楨奏請台灣建省，廷議不從；至光緒十一年（西元一八八五年）九月，欽差大臣左宗棠奏請台灣建省，始詔設台灣省。

(34)開山撫番—同治元年（西元一八六二年），日本以軍隊討生番，清朝命福建船政大臣沈葆楨視師台灣，事平，奏開番地，移駐巡撫，籌劃善後。

(35)析疆—畫分行政區域。光緒十三年（西元一八八七年）新任巡撫劉銘傳會同閩浙總督楊昌濬合奏，籌議台灣郡縣，得清廷許可，分設三府一州三廳十一縣，以台灣府爲省會，駐巡撫，因設備不周，暫住台北。

(36)正經界—測定田地的界域。經界，疆界。

(36)興土宜—生產各地所宜種植之物。

(38)綱舉目張—大小事情都做得很好。綱，網的大繩。目，網的眼孔。

(39)龜鑑—借鏡。古人用龜甲占卜。鑑是鏡子。因此，用古代或旁人的事情作自己的參考，叫做龜鑑，或稱龜鏡。

(40)國可滅而史不可滅—國家可以被人滅亡，但是歷史不可以讓人消滅。這話是宋亡後，董文炳在臨安主留事時所說的。

(41)郢書燕說—指穿鑿附會。郢，楚國都城（在今湖北省江陵），據韓非子外儲說記載：郢人給燕相的信裡面多寫了「舉燭」二字，燕國人以爲郢人勸他注意光明，登用賢才，結果燕王採用燕相國主張，將燕國政治辦得很好。但是這並非原書的本意。

(42)晉乘楚杌—春秋時晉國的史書叫乘（ㄕㄥˋ），楚國的史書叫檮（ㄊㄠˊ）杌（ㄨˋ），一如魯國史書叫春秋一般。

(43)斷簡殘編—指資料殘缺不全。

(44)蒐羅匪易—搜求不容易。蒐，通「搜」。羅，羅致。匪，非。

(45)郭公夏五—文字缺誤。春秋莊公二十四年及桓公十四年，分別有缺漏，只有「郭公」和「夏五」的字眼，底下空白。
(46)疑信相參——眞假參雜在一起。疑——假。信——眞。
(47)徵文——從史料來求證。
(48)老成凋謝——年老的死亡了。老成，年老成德的人。
(49)巷議街譚——街巷中的傳說，亦做街譚巷議，譚，同「談」。
(50)考獻——向熟悉掌故傳說的人查問。
(51)改隸——改屬。指光緒二十一年（西元一八九五年）中日締結馬關條約，將台灣割讓給日本。隸，附屬。
(52)兵馬倥傯——兵荒馬亂。倥傯（ㄎㄨㄥˇ ㄗㄨㄥˇ），事多而紛亂。
(53)檔案——官署中的案卷。
(54)半付祝融——大半被火燒掉。祝融，火神。
(55)金匱石室之書——珍重收藏的書。古人將重要文書放在金屬作的櫃子，或石頭蓋的房子裡，以防水火之災，有保愼的意義。
(56)風雨名山之業——亂世中的名貴著作。風雨象徵亂世。名山，古人將著作收藏在名山，以待後人誦讀。
(57)昭示——明白告訴。
(58)不敏——不聰明。自謙詞。
(59)兢兢業業——小心戒愼。兢，音ㄐㄧㄥ。
(60)莫敢自遑——不敢自己偷安放逸。遑，閒暇。
(61)十稔——十年。音ㄖㄣˇ，穀熟。穀子一年一熟，所以稱一年爲一稔。

(62)起自隋代──台灣通史凡例：「始於隋大業元年。」隋書始有琉球傳，記載隋派陳稜經略澎湖的事。
(63)縱橫上下──古今南北。縱橫表方向，上下表時間。
(64)鉅細靡遺──大事小事沒有遺漏。
(65)洪維──深思。兩字爲敬語，洪，大；維，通「惟」，思。
(66)荒陬──指荒僻的台灣。陬（ㄗㄡ），角落，指偏僻處。
(67)眷顧──瞻望。
(68)彌自儆惕──自己更加警惕。彌（ㄇㄧˊ），更。儆（ㄐㄧㄥˇ）惕（ㄊㄧˋ），戒懼。
(69)多士──衆人，即同胞。
(70)種性──民族性，民族精神。
(71)不佞之幟──不才的目標。不佞（ㄋㄧㄥˋ），自謙詞。
(72)婆娑之洋──指台灣附近的海面。婆娑（ㄙㄨㄛ），動蕩。
(73)美麗之島──明萬曆初年葡萄牙人航行台灣附近，見山林美麗，定名爲「福爾摩沙」，意即美麗島。
(74)景命──大的命脈。景，大。
(75)實式憑之──實在是倚靠於此。式，助詞。憑，依託。之，指上文「惟仁惟孝，義勇奉公」。
(76)大正七年──即民國七年（西元一九一八年）。大正是日本第一百二十三代天皇年號。
(77)朔日──陰曆初一。

【結構】

請將本文的綱目整理出來，以了解序文的基本作法：

【討論】

一、舊有的史志，作者認爲有那些缺誤？

二、作者表示要修台灣歷史的困難有那些？

三、連橫寫台灣通史的眞正理由何在？

「曲」簡介

曲是元代文學的主流，它和「詞」最大的不同在於歌舞相兼，文學與戲劇合爲一體。曲有散曲、劇曲之分，散曲只可清唱，劇曲則有科（動作）白（說白），可以表演。散曲又有「小令」與「散套」（或稱「套數」）兩種。「小令」爲單闋之曲，其體制與詞很像，但曲講求通俗疏放，且平上去聲可以通押。「散套」乃取同宮調之諸曲聯貫而成，首尾一貫，可依情節的繁簡加以伸縮，短者三、四首，長者多達二、三十首。

劇曲則進一步結合許多散套，配上科白來演唱故事，可分爲兩大類：一爲起源於北方，流行於元代的北曲—雜劇，一爲起源於南方，流行於明代的南曲—傳奇。

一一　散曲選

本課所選皆小令，散套置附錄供參考

㈠四塊玉　別情

關漢卿

自送別，心難捨，一點相思幾時絕。凭欄拂袖楊花雪。溪又斜，山又遮，人去也。

㈡大德歌　秋　關漢卿

風飄飄，雨瀟瀟，便做陳摶也睡不著。懊惱傷懷抱，撲蔌蔌淚點拋。秋蟬兒噪罷寒蛩兒叫，淅零零細雨灑芭蕉。

㈢沈醉東風　漁父詞　白樸

黃蘆岸白蘋渡口，綠楊堤紅蓼灘頭，雖無刎頸交；卻有忘機友。點秋江白鷺沙鷗。傲殺人間萬戶侯。不識字的烟波釣叟。

㈣天淨沙　秋思　馬致遠

枯藤老樹昏鴉，小橋流水人家，古道西風瘦馬。夕陽西下，斷腸人在天涯。

㈤山坡羊　張養浩

天津橋上，凭欄遙望，舂陵王氣都凋喪。樹蒼蒼，水茫茫，雲臺不見中興將。千古轉頭歸滅亡，功也不久長，名也不久長。

㈥清江引　采石江上　張可久

江空月明人起早，渺渺蘭舟棹。風清白鷺洲，花落紅雨島。一聲杜鵑春事了。

㈦折桂令　湖上餞別　張可久

傍垂楊、畫舫徜徉。一片秋懷，萬頃晴光。細草閑鷗，長雲小雁，亂葦寒螿。難兄難弟，俱白髮相逢異鄉。無風無雨，未黃花不似重陽。歌罷滄浪，更引壺觴，送別河梁。

㈧水仙子　尋梅　　喬吉

冬前冬後幾村莊，溪北溪南兩履霜。樹頭樹底孤山上，冷風來、何處香？忽相逢縞袂綃裳。酒醒寒驚夢；笛悽春斷腸。淡月昏黃。

㈠四塊玉　別情　　關漢卿

【作者】

關漢卿，號已齋叟，大都（今北平）人。約生於金宣宗興定年間（西元一二二〇年左右），死在元成宗大德年間（西元一三〇七年左右）。舊史說他做過金朝的太醫院尹，國亡不仕。但這個講法經胡適考證結果，已不能成立，因爲金亡時，他只有十三、四歲啊！

漢卿生性風流浪漫，又生在文人最受歧視的元代，所以長期同那些優伶一起生活，而彈琴唱曲，跳舞吟詩，樣樣難不倒他。同時，他替伶人編了六十種以上的劇本（現存十三種），與馬致遠、白樸、王實甫齊名，合稱元劇四大家。他的散曲有小令四十一首，套數十一首，量雖不多，在前期的散曲史上，卻佔著重要的地位。

【本文】

自送別，心難捨，一點相思幾時絕。凭欄拂袖楊花雪(1)。溪又斜(2)，山又遮，人去也。

【注釋】

(1)凭欄句—凭，同「憑」字。拂袖，抖動衣袖。雪，指白色的柳絮。

(2)斜—曲折流向遠處。

【賞析】

離別，是人生難堪的事，尤其多情者更爲之傷感不已。所以自古卽有「海內存知己，天涯若比鄰。」的寬慰語；也有「春風知別苦，不遣柳條青。」的會心語；也有「此去經年，應是良辰好景虛設。」的執著語；或是「樓高莫近危闌倚」的勸解語。但這離情豈是三言兩語能打發得走呢？

本篇起句平淡，那一點別後相思却深烙在作者腦海，揮之不去。當他登高憑欄，凝望遠去的人兒時，那無知的柳絮如雪花般飄滿衣袖，而佇立之久，內心之悵惘可知。遠望淙淙不斷的溪流，帶走了多少前塵往事，連緜不絕的山峯，又阻隔了送別人的視線。末句「人去也」雖說得俐落，心不忍又無可奈何之情躍然紙上。

(二)大德歌　秋　關漢卿

【本文】

風飄飄，雨瀟瀟，便做陳摶(3)也睡不著。懊惱傷懷抱，撲簌簌(4)淚點拋。秋蟬兒噪罷寒蛩兒(5)叫，淅零零(6)細雨灑芭蕉。

【注釋】

(3)陳摶—宋眞源（今江蘇儀徵縣）人。字圖南，自號扶搖子。生於唐末，五代時，居華山修道，服氣辟穀，每寢百餘日不起，俗以爲睡仙。宋太宗賜號希夷先生。

(4)撲簌簌—淚流不絕的樣子。簌，音ㄙㄨˋ。

(5)寒蛩兒—蛩，音ㄑㄩㄥˊ，即蟋蟀。又名吟蛩。這裏指秋天的蟋蟀，所以叫寒蛩兒。

(6)淅零零—雨聲。

【賞析】

本篇在寫秋意之蕭瑟。

自九辯問世以來，凡是懷才不遇窮愁潦倒的文人，常自比宋玉，傷春悲秋，多愁善感。本篇作者處於無可奈何之世，正當秋意惱人時，屋外風雨交加，滿目蕭然，怪不得無法入眠了。屋內的人感慨平生志業百無一償，傷感之餘，不禁以淚洗面。篇末的秋蟬、寒蛩、細雨聲，不但寫出秋意來，也把落魄者內心的苦況和盤托出。

㈢**沈醉東風** 漁父詞　白樸

【作者】

白樸，字仁甫，眞定（今河北正定縣）人。生於金哀宗正大三年（西元一二二六年），卒年不詳。他年幼時，曾受元遺山的薰陶，而有深厚的古典文學基礎。經過喪亂折磨，又痛失母親，使他鬱鬱不樂，絕意仕進。他的生活嚴正，品格很高，在作品裏，時時流露出故宮禾黍之悲。等元朝一統後，遷居金陵，和那些遺老放情山水間，日以詩酒優遊。後以子貴，贈嘉議大夫，掌禮儀院太卿。

他著有雜劇十六種（今存二種），以梧桐雨一劇最爲膾炙人口，號稱元曲之冠。他的散曲小令不多，散見元人選本，近人輯爲天籟集摭遺一卷。

【本文】

黃蘆岸白蘋⑺渡口，綠楊堤紅蓼⑻灘頭，雖無刎頸交⑼；卻有忘機⑽友。點秋江白鷺沙鷗。傲殺人間萬戶侯⑾。不識字的烟波釣叟。

【注釋】

⑺白蘋－生在淺水中的隱花植物，四張小葉子合成一葉，形象田字。

⑻紅蓼－一年生草，生在水中的，味辛香，別名「水蓼」；生在原野的別名「馬蓼」。這裏指的是前者。蓼，音ㄌㄧㄠˇ。

(9)刎頸交—以性命相許的朋友。史記裏說廉頗、藺相如「卒相與驩，爲刎頸之交。」

(10)忘機—與世無爭，沒有心機。

(11)傲殺句—勝過世上那些享有榮華富貴的人。

【賞析】

本篇寫漁父之生涯，也是作者內心的寫照。

「黃蘆」「白蘋」「綠楊」「紅蓼」「白鷺」「沙鷗」，把江南地帶的水鄉刻畫得多麼鮮麗生動。而生活於這片天地中的作者，久經喪亂，再也無心過問世事了。所以他不需那些以功業相期、性命相許的至交，只要能「陶然共忘機」的朋友，和他同享眼前秋江的景色，就感到心滿意足了，又何必在意人間的功名富貴呢？這是恬退的心態，烟波中的釣叟正是作者嚮往的人物，又何必在意他識不識字呢？

(四)天淨沙　秋思　　馬致遠

【作者】

馬致遠，號東籬，大都（今北平）人。生平事蹟已不可考，只知道他曾任江浙行省務官。年輕時喜好功名，後來對時局漸感失望，因此隱居於山水之間，寄情於詩酒，成爲一個嘯傲風月玩世不恭的名士。

他所著的雜劇共十四種（今存六種），以漢宮秋一劇最著名。散曲無專集，散見元人選本，小令百餘首，套數十餘，多數豪放清逸，近人輯爲東籬樂府一卷。

【本文】

枯藤老樹昏鴉，小橋流水人家⑿，古道西風瘦馬。夕陽西下，斷腸⒀人在天涯。

【注釋】

⑿人家──一本作「平沙」。

⒀斷腸──悲傷過度。杜牧有詩云：「芳草復芳草，斷腸還斷腸。」

【賞析】

本篇在寫秋景的蒼涼，也寄託了作者的感慨。

這首的寫法，看似平淡無奇，其實寄情深刻有力；看似片段不相連屬，其實密不可分。加上寫景如繪，用最平常的景物，襯托出濃濃的旅愁，所以感人極深。首句看來朦朧蒼莽，次句淸麗淡遠，三句雄渾老練，末二句悽厲悲涼，層層轉折，極富變化。篇中造境，也有大小之別，如「古道西風瘦馬」是大境，「小橋流水人家」是小境，但交織融合得無間，故爲千古的絕唱。

㈤山坡羊　　張養浩

【作者】

張養浩，字希孟，號雲莊，山東濟南人。生於元世祖至元六年（西元一二六九年），死於元文宗天曆二年（西元一三二九年）六十一歲。曾任御史，上疏論政，爲當局所忌，遭陷罷官。仁宗時（西元一三一二－一三二〇年）奉召再出，官至禮部尙書，後以父老，退職家居。他的散曲有雲莊休居自適樂府一卷，是歸田後心境的發抒之作。

【本文】

天津橋(14)上，凭欄遙望，春陵(15)王氣都凋喪。樹蒼蒼，水茫茫，雲臺(16)不見中興將。千古轉頭歸滅亡，功也不久長，名也不久長。

【注釋】

(14)天津橋－在河南省洛陽縣西南洛水之上。

(15)春陵－地名。漢朝時有春陵縣，長沙定王子買封於此，號春陵侯；故城在今湖南省寧遠縣西北。後徙封南陽白水鄉，仍號春陵，因改白水鄉爲春陵縣，故城在今湖北省棗陽縣東。

(16)雲臺－漢時臺名。在南宮中；永平間，明帝追念前世功臣，把鄧禹等二十八將圖像畫於此。

【賞析】

這是藉詠史抒寫懷抱的作品。

當作者登臨洛水之上的天津橋時，不禁憶起光武中興漢朝的故事。那文弱書生之所以能克敵致勝，終定大業，莫非一批忠心耿耿的中興諸將之功。曾幾何時，那功成名就，享盡富貴的人，早已化作歷史人物了。想到這裏，作者回首前塵，功名之不足恃，富貴不久長的幻滅感遂冉冉昇起，無法釋懷。本篇風格豪放，和早期的散曲作風不同，是轉變期的作品。

㈥清江引　采石江上

張可久

【作者】

張可久，字小山，慶元（今浙江鄞縣）人。生卒年不詳，約在元世祖末至文宗時（西元一三一七年左右在世）。他生性喜愛山水，寫景之作特多。他一生足跡，從作品看來，徧歷湖南、江西、安徽、福建、江蘇、浙江諸省。他雖曾擔任小官，但抑鬱不得志，而飽讀書史，遂將畢生精力，全獻之於散曲。他在元代的曲壇，有著盛大的聲譽。今有任中敏所輯小山樂府六卷，共得小令七百五十一首，套數七套，是現存散曲最多的作家。

【本文】

江空月明人起早，渺渺⒄蘭舟棹⒅。風清白鷺州，花落紅雨島。一聲杜鵑春事了。

【注釋】

(17)渺渺—遠而看不清。

(18)棹—音ㄓㄠˋ，楫也。這裏當動詞用，作撥水解。

【賞析】

這首清江引是閒適之作。

明月仍掛天際，空蕩蕩的江面上，有人划著船兒從遠處來。在白鷺洲上清風徐來，紅雨島上落花片片，好一幅優美的景色；只是傳來一聲杜鵑啼叫，而春天又消逝得無影無踪了。作者極力地採用詩詞的句法，以雕琢字句爲能事，以騷雅蘊藉爲最高境界，形成唯美婉麗的風格，而不再具有早期曲中的質樸直率俚俗生動的特色。

(七)折桂令 湖上餞別

張可久

【本文】

傍垂楊、畫舫徜徉。一片秋懷，萬頃晴光。細草閑鷗，長雲小雁，亂葦寒蛩(19)。難兄難弟(20)，俱白髮相逢異鄉。無風無雨，未黃花不似重陽。歌罷滄浪(21)，更引壺觴，送別河梁(22)。

【注釋】

⒆寒螿—就是秋天叫的寒蟬，叫聲幽抑。螿，音ㄐㄧㄤ。

⒇難兄難弟—比喻兄弟都很難得。世說新語：「陳元方子長文有英才，與季方子孝先，各論其父功德，爭之不能決，質之陳太丘。太丘曰：『元方難爲兄，季方難爲弟。』」這裏指至交好友。

(21)滄浪—水名，即漢水。孟子離婁篇：「滄浪之水淸兮，可以濯吾纓；滄浪之水濁兮，可以濯吾足。」

(22)河梁—指橋而言。李陵與蘇武詩：「攜手上河梁，遊子暮何之。」後世泛指送別之地叫河梁。

【賞析】

本篇是寫送別時的感傷。

時當重陽，卻無蕭瑟的秋意，只見湖上一片亮麗的色彩，岸邊處處垂楊，湖面有著往來自如的畫舫，本無送別之意；向遠處望去，細草間有鷗鳥閑蕩，長雲裏有小雁飛翔，亂葦中傳來寒蟬鳴叫聲，又使得畫面的氣氛熱鬧不少；奈何好友在異鄉相逢，又兼滿頭白髮，這幅光景已夠淒涼的了。雖入秋天，卻沒有風雨，沒有黃花，好個怪異的季節。在這樣的重陽節送別，給人很奇特的感覺，那不是強烈的傷痛，而是久經人間波折後淡淡的哀愁罷了。

㈧水仙子　尋梅　喬吉

【作者】

喬吉，字夢符，號笙鶴翁，又號惺惺道人，原籍太原，寓居杭州。生於元世祖至元十七年（西元一二八〇年），死於元惠帝至正五年（西元一三四五年），六十六歲。

他是一個流落異鄉窮愁潦倒的文人，甚至在江湖流浪了四十年，尚且無法將自己的作品刊行問世。然而由於洒脫的個性，他雖被現實生活所困，却能以詩酒煙霞笑談風月來寄託他的精神。因此作品裏充滿了快樂自適的情調，而不是困苦的哀音。他在小曲的風格上，和張可久較爲相近，同是帶有清麗華美的色彩。今存夢符散曲三卷，爲後人所輯。又有雜劇十一種，現存三種。

【本文】

冬前冬後幾村莊，溪北溪南兩履霜。樹頭樹底孤山(23)上，冷風來、何處香？忽相逢縞袂綃裳(24)。酒醒寒驚夢；笛悽春斷腸。淡月昏黃。

【注釋】

(23)孤山－在杭州西湖中後湖與外湖之間。孤峯獨聳，秀麗清幽，爲湖山勝地。宋林逋曾隱居此山，養鶴植梅；今逋墓及鶴塚尚在，梅樹亦多。

(24)縞袂綃裳－指梅花。縞，白色生絹。綃，生絲，音ㄒㄧㄠ。

【賞析】

本篇寫尋梅的情趣，屬閒適之作。

從首句至五句，把探尋梅花的意態展露無遺。先是入冬前後、溪水南北，踏徧多少村莊，步履滿是霜雪，終於來到孤山之上，那淡遠的香氣隨冷風撲鼻而來，原來就是所要尋找的梅花啊！尤其四、五兩句，用一問一答的方式，一虛一實的手法，把由追尋到得償宿願的喜悅之情呈現出來，更屬難得。六、七兩句，寫酒醒聽到悽惻的笛聲，引發季節的感慨，同時也隱含了作者在歲月催促下幾許的無奈，所以末句塑造的氣氛正好就是當時的心境，這個寫法眞是恰到好處。

【附錄】

散套一首

湖上晚歸

張可久

〔南呂一枝花〕長天落綵霞，遠水涵秋鏡。花如人面紅，山似佛頭青。生色圍屛，翠冷松雲徑，嫣然眉黛橫。但攜將旖旎濃香，何必賦橫斜瘦影？

〔梁州〕挽玉手留連錦裀，據胡牀指點銀瓶，素娥不嫁傷孤另。想當年小小，問何處卿卿？東坡才調，西子娉婷，總相宜千古留名。吾二人此地私行，六一泉亭上詩成，三五夜花前月明，十四絃指下風生。可憎，多情，捧紅牙合和伊州令。萬籟寂，四山靜，幽咽泉流水下聲，鶴怨猿驚。

〔尾〕岩阿禪窟鳴金磬，波底龍宮漾水精。夜氣清，酒力醒，寶篆銷，玉漏鳴。笑歸來髣髴二更，煞強似踏雪尋梅灞橋冷。

一二、感天動地竇娥冤（節）

關漢卿

【說明】

元代雜劇的大量創作和上演，使得中國戲劇成為一種完整、穩定的藝術體制。而元雜劇正是中國戲曲的第一個黃金時代。

㈠元雜劇興盛的原因

1.戲劇文學的自然發展：宋金以來，戲劇文學的形體已經粗備。宋金的諸宮調，於劇目及曲調上對元雜劇都有明顯借鑒痕迹。

2.物質環境：隨著城市的繁榮、市民人數的增加，精緻型的文化娛樂自然興盛起來。雜劇可以出現衆多的觀衆，經營劇場的人才可得利，演員和劇本的報酬增加，因此，劇本的需求量愈增加，且精益求精。

3.精神環境：在元代，儒家思想衰微，須明道的文學理論消聲匿迹。戲曲原是載道一派以為卑微的東西，卻恰巧在這文學思想自由的時代蓬勃發展起來。此外，蒙古帝王對歌舞的愛好，也是推動元雜劇發展的助力。

4.科舉的暫除：元代輕儒生、鄙文士、廢考試，知識份子無法讀書做官，此時雜劇興起，既可抒情怨、寫故事、展才華，又可做為娛樂、解決生活所需，於是文人將作詩賦古文之精力轉而作雜劇，大作家、好作品應運而生。

㈡劇本結構

1.劇本結構：一般是一本四折演完一個完整故事，一折約當現在的一幕。有的劇還有「楔子」，有些楔子在第一折之前，對故事做簡單介紹；有些在折與折之間，過場用。

2.曲調：「折」也是音樂組織單元。每折用一套曲子，曲數可多可少，但須屬同一宮調。在第一曲標出宮調之名，最後一曲則標出「煞」或「尾」。

3.曲詞：一般是由一位主要演員演唱——正末主唱本稱「末本」，正旦主唱者稱「旦本」，其他角色只有說白，如必須歌唱，僅限於楔子內。

4.賓白：「賓白」就是劇中人物的說白，在劇中主要作用是交代情節。有時逗笑或進行諷刺、調節氣氛。

5.科範：簡稱「科」，是對演員的主要動作、表情、舞臺效果的提示。

6.角色：元雜劇之角色大約可分為末、旦、淨、雜四類。末為男角；旦是女角；淨是剛強兇惡或滑稽人物；雜是其他的雜角。

㈢元雜劇在文學史上的地位

1.穩定的藝術體制：唐參軍戲、宋雜劇都還是粗糙不成熟的。元劇一本四折的結構扣合著事件發展的起承轉合；「一人主唱」則鮮明地表現人物性格，均是成熟劇作的呈現。

2.作家及作品數量均可觀：元雜劇作家有近二百人，有姓名可考者八十餘人，前期的關漢卿、白樸、王實甫、馬致遠等，以大都為中心；後期的鄭光祖、喬吉、秦簡夫、宮天挺等則以杭州為中心，創作了豐富劇本。因此大量優秀作品不斷產生，在近百年的元代，竟有七百餘種雜劇作品著錄，實可謂為大觀。

3. 內容及手法變化多樣：元劇在思想內容及藝術風格上也是競相爭艷。內容之豐厚、風格之多樣都是前代戲曲所難匹敵。關漢卿「竇娥冤」、王實甫「西廂記」、馬致遠「漢宮秋」、白樸「梧桐雨」等，均是傳世名作。

4. 衆多的劇場與演員：元雜劇之全盛，在於表演劇場的衆多和固定。元之劇，有在勾欄固定演出的，也有「路歧」藝人流動「作場」的，其中出現了許多重要的戲班及優秀演員，更使元雜劇成為中國戲曲之首。

【作者】

關漢卿，名無考，號已齋，元大都人。生平事迹不詳，只能推斷他約生於金末（公元十三世紀初），卒於元成宗大德年間（十三世紀末）。曾為太醫院戶之職位。

關漢卿擅長歌舞、熟知音律、畢生從事戲劇相關之活動，不但撰寫劇本，還常常粉墨登場，親自參加演出，時人稱他「生而倜儻，博學能文，滑稽多智，蘊藉風流，為一時之冠」（元熊自得「析津志」）。

已齋叟是中國文學史和戲劇史上一位偉大作家，他一生創作了大量的雜劇和散曲，成就卓越。尤其他長期生活在城市下層社會中，仗義直言，傳達了百姓心聲，等於為元雜劇的繁榮打下堅實的基礎，為元代最享盛名的劇作家，也被明、清批評家推為「元曲四大家」之首。他一生寫過六十多種雜劇，現在保存下來只有〈感天動地竇娥冤〉、〈趙盼兒風月救風塵〉、〈閨怨佳人拜月亭〉、〈關大王單刀會〉、〈包待制三勘蝴蝶夢〉、〈詐妮子調風月〉、〈望江亭中秋切膾旦〉等十八種，題材廣泛、描寫細膩、深入人心，場面緊湊多變、語言樸直自然，故亦被尊為「雜劇之祖」。

【題解】

〈感天動地竇娥冤〉是關漢卿的代表作之一。竇娥三歲喪母，因家貧而被父親賣給人家做童養媳。十七歲婚後不久，丈夫就死了。不料，惡棍張驢兒想霸占她，想下毒毒死竇娥婆婆，以令其順從，卻誤毒死自己父親。張驢兒反誣竇娥害人，而昏官桃杌見錢眼開，竟不讓竇娥申訴，將她屈打成招，判了死罪。臨刑前，竇娥痛斥了官場的昏暗、地痞的罪惡，並發了三個「無頭願」（注釋(39)）：一要刀過頭落時，一腔熱血都濺在丈二白練上，半點兒不落地；二要六月飛雪，遮蓋她的屍體；三要從此楚州三年大旱。希望以三願證明自己無辜。行刑之後，這三願竟奇迹般的一一出現，不但證明自己的冤屈及悲憤，同時也對正義得不到申張的現實社會提出了強烈控訴。關漢卿成功塑造了這與封建惡勢力對抗的婦女形象。

本課選「第三折」部分，正是行刑之一場戲。

【本文】

（外(1)扮監斬官上，云）下官監斬官是也。今日處決犯人，著做公的(2)把(3)住巷口，休放往來人閑走(4)。（淨(5)扮公人(6)、鼓三通、鑼三下科(7)。）（劊子(8)磨旗(9)提刀，押正旦(10)帶枷上）（劊子）行動些，行動些(11)，監斬官去法場上多時了。（正旦唱）

【正宮・端正好】沒來由⑿犯王法，不提防遭刑憲，叫聲屈動地驚天！頃刻間遊魂先赴森羅殿⒀，怎不將天地也生埋怨。

【滾繡球】有日月朝暮懸，有鬼神掌著生死權。天地也只合把清濁分辨，可怎生錯看了盜跖顏淵⒁：爲善的受貧窮更命短，造惡的享富貴又壽延。天地也，做得個怕硬欺軟，卻元來⒂也這般順水推船。地也，你不分好歹何爲地？天也，你錯勘⒃愚賢枉做天！哎，只落得兩眼淚漣漣。

（劊子云）快行動些，誤了時辰也。（正旦唱）

【倘秀才】則被這枷紐⒄的我左側右偏，人擁得我前合後偃⒅，我竇娥向哥哥行⒆有句言。

（劊子云）你有什麼話說？（正旦唱）前街裡去心懷恨，後街裡去死無冤，休推辭路遠。

（劊子云）你如今到法場上面，有甚麼親眷要見的，可教他過來，見你一面也好。

（正旦唱）

【叨叨令】可憐我孤身隻影無親眷，則落得吞聲忍氣空嗟怨。（劊子云）難道你爺娘家也沒的？（正旦云）止有個爹爹，十三年前上朝取應去了(20)，至今杳無音信。（唱）早已是十年多不睹爹爹面。（劊子云）你適才(21)要我往後街裡去，是什麼主意？（正旦唱）怕則怕前街裡被我婆婆見。（劊子云）你的性命也顧不得，怕他見怎的？（正旦云）俺婆婆若見我披枷帶鎖赴法場餐刀(22)去呵，（唱）枉將他氣殺也麼哥(23)，枉將他氣殺也麼哥。告(24)哥哥，臨危好與人行方便！

（卜兒哭上科，云）天那，兀的不是我媳婦兒！（劊子云）婆子靠後。（正旦云）既是俺婆婆來了，叫他來，待我囑咐他幾句話咱。（劊子云）那婆子，近前來，你媳婦要囑付你話哩。（卜兒云）孩兒，痛殺我也！（正旦云）婆婆，那張驢兒把毒藥放在羊肚兒湯裏，實指望藥死了你，要霸佔我爲妻。不想婆婆讓與他老子吃，倒把他老子藥死了。我怕連累婆婆，屈招了藥死公公，今日赴法場典刑。婆婆，此後遇著冬時年節，月一十五(25)，有瀽(26)不了的漿水飯，瀽半碗兒與我吃，燒不了的紙錢，與竇娥燒一陌兒(27)。則是看你死的孩兒面上！（唱）

【快活三】念竇娥葫蘆提(28)當罪愆(29)，念竇娥身首不完全，念竇娥從前已往幹家緣(30)；婆婆也，你只看竇娥少爺無娘面。

【鮑老兒】念竇娥服侍婆婆這幾年，遇時節將碗涼漿奠；你去那受刑法屍骸上烈些紙錢(41)，只當把你亡化的孩兒薦(32)。（卜兒哭科，云）孩兒放心，這個老身都記得。天那，兀的不痛殺我也(33)！（正旦唱）婆婆也，再也不要啼啼哭哭，煩煩惱惱，怨氣沖天。這都是我做竇娥的沒時沒運，不明不暗，負屈銜冤。

（劊子做喝科，云）兀那婆子靠後，時辰到了也。（正旦跪科）（劊子開枷科）（正旦云）竇娥告監斬大人，有一事肯依竇娥，便死而無怨。（監斬官云）你有什麼事？你說。（正旦云）要一領淨席(34)，等我竇娥站立，又要丈二白練(35)，掛在旗槍(35)上；若是我竇娥委實冤枉(37)，刀過處頭落，一腔熱血休半點兒沾在地下，都飛在白練上者。（監斬官云）這個就依你，打什麼不緊(38)。

（劊子做取席站科，又取白練掛旗上科）（正旦唱）【耍孩兒】不是我竇娥罰下這等無頭願(39)，委實的冤情不淺，若沒些兒靈聖與世人傳，也不見得湛湛青天(40)。我不要半星熱血紅塵灑，都只在八尺旗槍素練懸。等他四下裏皆瞧見，這就是咱萇弘化碧(41)，望帝啼鵑(42)。

（劊子云）你還有甚的說話，此時不對監斬大人說，幾時說那？（正旦再跪科，云）大人，如今是三伏天道(43)，若竇娥委實冤枉，身死之後，天降三尺瑞雪，遮掩了竇娥屍首。（監斬官云）這等三伏天道，你便有沖天的怨氣，也召不得一片雪來，可不胡說！（正旦唱）

【二煞】你道是暑氣暄(44)，不是那下雪天；豈不聞飛霜六月因鄒衍(45)？若果有一腔怨氣噴如火，定要感的六出冰花(46)滾似綿，免著我屍骸現；要甚麼素車白馬(47)，斷送出古陌荒阡(48)！

（正旦再跪科，云）大人，我竇娥死的委實冤枉，從今以後，著(49)這楚州亢旱(50)三年！（監斬官云）打嘴！那有這等說話！（正旦唱）

【一煞】你道是天公不可期，人心不可憐，不知皇天也肯從人願。做什麼三年不見甘霖(51)降？也只爲東海曾經孝婦冤(53)。如今輪到山陽縣。這都是官吏每無心正法，使百姓有口難言。

（劊手做磨旗科，云）怎麼這一會兒天色陰了也？（內做風科，劊子云）好冷風也！（正旦唱）

【煞尾】浮雲爲我陰，悲風爲我旋，三樁兒誓願明題遍。（做哭科，云）婆婆也，直等待雪飛六月，亢旱三年呵，（唱）那其間才把你個屈死的冤魂這竇娥顯。

（劊子做開刀，正旦倒科）（監斬官驚云）呀，眞個下雪了，有這等異事！（劊子云）我也道平日殺人，滿地都是鮮血，這個竇娥的血都飛在那丈二白練上，並無半點落地，委實奇怪。（監斬官云）這死罪必有冤枉。早兩樁了應驗了，不知亢旱三年的說話，準也不準？且看後來如何。左右，也不必等待雪晴，便與我抬他屍首，還了那蔡婆婆去吧。（衆應科，抬屍下）

【注釋】

(1)外——即「外末」，元雜劇中次於「正末」的男性角色。

(2)做公的——指衙門的差役。

(3)把——守。

(4)閑走——接近法場。
(5)淨——元雜劇角色名稱，多扮演性情暴烈、舉止粗野的人。
(6)公人——公差。
(7)科——戲曲術語，指示劇中人物做何種動作或表情。
(8)劊子——即行斬之人。
(9)磨旗——是「揮旗」之意，磨疑「麾」字之誤。
(10)正旦——元雜劇中扮演女性的角色為「旦」，「正旦」是扮演正面主角之女性。
(11)行動些——走快一些。
(12)沒來由——無緣無故。
(13)森羅殿——閻王殿。
(14)盜跖顏淵——盜跖，傳說中奴隸起義領袖，被反動統治階級誣為大盜，後一些文學作品往往把他當做惡人典型。
(15)元來——原來。
(16)錯勘——斷錯了。
(17)紐——扭。
(18)前合後偃——前擁後擠使人站不住腳。偃，迎面倒下。
(19)哥哥行——哥哥那裏，指劊子手們。行，指示方位詞。
(20)上朝取應——上京城參加科舉考試。
(21)適才——剛才。

(22)餐刀——吃刀，指被斬。

(23)也麼哥——元曲中的語尾助詞，無義。

(24)告——拜託，請求之詞。

(25)月一十五——即初一十五。

(26)瀽——潑出，倒出。蹇不了，指祭奠時澆奠餘下的灑漿。瀽，音ㄐㄧㄢˇ。

(27)一陌兒——古時稱一百錢爲陌錢。此泛指一疊。

(28)葫蘆提——宋元口語，相當於「糊里糊塗」、「不明不白」之意。

(29)罪愆——罪過。愆，音ㄑㄧㄢ。

(30)從前已往幹家緣——過去一直幹著家務活。

(31)烈些紙錢——燒些紙錢。

(32)荐——祭奠。

(33)兀的不痛殺我也——兀的，這。殺，煞也。

(34)一領淨席——一張乾淨席子。

(35)丈二白練——一丈多的白絹。丈二，泛指很長。白練，白色長條絹。

(35)旗槍——帶有槍尖的旗幟。

(37)委實冤枉——確實冤枉。

(38)打什麼不緊——沒什麼要緊，沒關係。

(39)無頭願——該死的咒願。

(40)湛湛青天——深遠、清徹的藍天。

(41)萇弘化碧——傳說周朝大夫萇弘（ㄔㄤˊ　ㄏㄨㄥˊ）爲忠臣，含冤被殺，蜀人將他的血藏起來，三年後竟化爲青綠碧玉。
(42)望帝啼鵑——傳說蜀王杜宇，號望帝，死後變爲杜鵑鳥，日夜在山中悲鳴，聲音淒厲。
(43)三伏天道——即三伏天氣，一年中最炎熱的時候。農曆六、七月間最熱的三個十天，季節上稱爲頭伏、中伏、末伏，統稱爲三伏。
(44)暄——熱得很。
(45)鄒衍——戰國時齊人，燕惠王聽信讒言，將他下獄，他望天大哭，炎熱的五月天竟下起霜來。後世則以此故事代表冤獄。
(46)六出冰花——六角形的雪花。
(47)素車白馬——表「弔喪」之意。東漢時，張劭死，他的好友范式從遠方乘白車白馬來弔喪。
(48)斷送出古陌荒阡——斷送，葬送。古陌荒阡，荒涼原野。
(49)著——要、使。
(50)亢旱——大旱、久旱。
(51)甘霖——好雨。恰如其時的雨水。
(52)東海曾經孝婦冤——傳說東漢東海郡有一寡婦周青，對婆婆很恭順，婆婆因事上吊，周青被誣指逼死婆婆而遭殺。臨刑前，她指車上長竿對人說，我若有罪，被斬後血往下流，否則，血就沿竹竿逆流而上。行刑之後，血果然逆流，而東海郡一帶三年不雨，直到她的冤曲昭雪，天才降雨。事見《後漢書・于定國傳》。

【賞析】

元代是我國歷史上十分黑暗的朝代，蒙古統治者強權暴政，貪官污吏橫行霸道，冤獄遍地，人民生活在水深火熱之中。本劇透過竇娥的遭遇及努力，為我們展現一幅廣闊的歷史生活畫面，有力地揭露了元代社會政治的混亂、黑暗和殘酷，反映了當時被壓迫人民強烈的反抗情緒。

「竇娥冤」第一、二折中，明顯敘述當時人民生活貧困、傾家蕩產、賣兒鬻女、流氓橫行、殺害奸占之事到處可見。而官吏的唯利是圖、濫刑虐政、草菅人命的描寫都是入木三分。第三折中則表現了強烈的反抗，在綁赴刑場的路上，竇娥對世界主宰者——天和地，發出了強烈不平之鳴（【滾繡球】曲可見），鮮明地表現她對整個人生秩序的懷疑。在黑暗的現實面前，竇娥沒有向惡勢力屈服，反而是「事到頭、競到底」，以自己的死來反抗這不公的社會，同時提出三樁誓願來證明自己的清白，也是為對殺害她的惡勢力的一種懲罰。

戲的第四折中，竇娥化為鬼魂向做了官的父親竇天章托兆，請求替她申冤，終於使沉冤大白，流氓無賴，貪官污吏都受到懲罰。但這一切都是竇娥積極主動的行為，將其性格剛烈的敘述推到最高，深刻表達正義必然戰勝邪惡的規律。

除了剛烈外，作者同時又寫了竇娥的另一面——善良。在去法場的路上，死到臨頭，她再三懇求劊子手不要走前街，而走後街，因為她不願婆婆見她赴斬而傷痛氣憤，著墨雖不多，其多情犧牲的精神，卻十分感人。

斬竇娥一段應是本劇中最重要的部分，對於表現主題——「官吏每無心正法，使百姓有口難言」，有著極關鍵的作用。關漢卿可以說是傾注了足夠筆墨和滿腔熱情，藝術成就眞可謂是高超至極了。

【問題與討論】

一、元代的背景環境，何以令關漢卿創作出竇娥冤般的劇作來？

二、監斬官及劊子手的表現，對竇娥的表演有何助益？

三、「斬竇娥」這折，何以可算是全劇最重要的部分？究竟表現了何種情境及批判？

一三　遊　園

湯顯祖

【說明】

「傳奇」的名稱，始創於唐代，當時是指小說而言，宋金以諸宮調爲傳奇，元明之間，南曲也稱爲傳奇。

明傳奇又稱「南詞」，它的前身，是流行於南方的「南戲」。在體制上，每劇沒有一定的齣數、宮調，唱時沒有人數限制，各角色均可有白有唱，也可以幾個角色合唱一曲的。而語音上，主要以南方的方音爲主，與元雜劇常雜有蒙古語的情形相較，讀來較易懂得多。在風格方面，元雜劇多勁切雄麗、明傳奇多清俊柔遠；傳奇用字精簡而調子慢，頗見其意境輕靈，辭勝於聲。

明傳奇大致可以分爲兩個時期：正德以前、嘉靖以後。元末明初，五大傳奇——琵琶記、荊釵記、白兔記、拜月亭、殺狗記——的出現，是雜劇轉向傳奇發展的代表。嘉靖以後，傳奇大盛，此時政治黑暗、民生凋蔽，因而許多作品，都努力突破教忠孝節義的傳統束縛，直接將現實生活的題材搬上舞台，故產生巨大影響，如「寶劍記」、「鳴鳳記」、「浣沙記」反映了當時的重大政治事件。萬曆期間，傳奇形式更豐富多樣，最突出的是唱腔的變化及崑腔的興盛，代表者爲吳江沈璟與臨川湯顯祖——沈主張講究音律、強調戲曲語言本色；湯則強調「自然而然」，其「牡丹亭」更是明傳奇創作的最高成就。

至於進入清代以後，反映時事，廣泛描寫市民階層的人物感情的「蘇州派」有著傑出表現。至康熙中葉，洪昇的「長生殿」和孔尚任的「桃花扇」都是有名的作品。

【作者】

湯顯祖（西元一五五〇—一六一七年），字義仍，號若士，又號海若，自稱清遠道人。江西臨川人，出生於書香之家。二十一歲時中江西省舉人，二十八歲上京赴考時，首相張居正愛其才，要他的兒子與顯祖結交，顯祖因張為當代權貴，不願與之交往，屢試不第；張死後，才於萬曆十一年中進士，出任南京太常寺博士，後遷南京禮部主事。

這時他上疏批評時政的種種黑暗，使得滿朝文武大為震驚，結果被貶到廣東雷州半島南端的徐聞縣做典史。又轉為遂昌縣知縣，在任時往往抵觸政府法令，於是在一六〇一年被免職回鄉，以度曲寫劇為樂，家居十七年後病卒，卒時六十八歲。

在政治上，湯顯祖反對奸佞權臣和宦官專權，任官期間，抑制強豪，關心民苦。辭官之後，著書立說，奉親教子。又因佛學影響，他追求個性解放，崇尚眞性情，反對假道學。

在文學創作上，他主張「凡文以意、趣、神、色為主」，實際上，就是要求創作注重思想內容、藝術意境和文章辭采；反對矯揉造作，無病呻吟。

湯顯祖的詩文有《玉茗堂集》、《紅泉逸草》、《問棘郵草》；戲劇作品有《牡丹亭》（《還魂記》）、《南柯記》、《邯鄲記》和《紫釵記》，合稱「臨川四夢」，又稱「玉茗堂四夢」。其中以《牡丹亭》最為著名，盛行後，並有沈璟、臧晉城、馮夢龍等人改本多種，以便於舞台演唱。作品詞句典麗生動，排場取材亦頗佳妙，以後模仿湯顯祖的劇作家就自然形成了臨川派或玉茗堂派。

牡丹亭一劇是湯顯祖的代表作，也是明傳奇的最高峯。

明代是我國專制禮教最猖獗的時代，宋朝的程朱理學這時已發展到頂點。尤其是對婦女，大力提倡貞操節烈、三從四德、夫唱婦隨。《牡丹亭》一劇卻熱情地歌頌了追求自由幸福的愛情和強烈地要求個性舒解的精神，在禮教牢固的城牆衝破了一個缺口。

這齣傳奇劇作敘述了杜麗娘與柳夢梅的愛情。他倆於夢中相會，她大膽去尋找此夢中人，可惜現實中偏尋不著，她傷心鬱悶而死，臨死之前畫下了自己的容貌，並藏在太湖石下等待柳夢梅的到來。她死後仍繼續追求，終於找到了夢想中的愛人，把生命託付給他。柳夢梅於是請石道姑合力開墓穴，將麗娘救活過來，得以廝守。

「遊園」是牡丹亭第十齣「驚夢」的前半部分，由六隻曲子組成。六曲構成一幅美麗迷人的畫面：晴絲搖漾，鶯啼燕舞，春花開遍，姹紫嫣紅，多情女子等；也組成一段情思緜邈、春情淒惋的遊春曲，把抒情、寫景和刻劃人物心理活動結合起來，產生動人的藝術效果。

【本文】

（旦扮杜麗娘上）

（唱）

【遶地遊】　夢回鶯囀，亂煞年光遍(1)。人立小庭深院。炷盡沉煙(2)，拋殘繡線，恁⑶今春關情⑷似去年。

（旦）【烏夜啼】曉來望斷梅關⑸，宿妝殘。

（貼）⑹小姐，你側著宜春髻子⑺恰憑欄。

（旦）剪不斷，理還亂，悶無端。

（貼）已吩咐催花鶯燕借春看。

旦：春香，可曾叫人掃除花徑麼？

貼：吩咐了！

旦：取鏡台衣服過來。

（貼取衣服上）

貼念：雲髻罷梳還對鏡，羅衣欲換更添香。⑻

貼：小姐，鏡台衣服在此。

旦：放下。

（唱）

【步步嬌】裊晴絲吹來閒庭院⑼，搖漾春如線。停半晌，整花鈿，沒揣⑽菱花，偷人半面，迤逗的彩雲偏⑾，（行介⑿）我步香閨怎便把全身現。

貼：今日穿插⒀得好！

（旦唱）

【醉扶歸】　你道翠生生出落得裙衫兒茜⒁，艷晶晶⒂花簪八寶瑱⒃，可知我常一生兒愛好是天然⒄。恰三春好處⒅無人見，不提防沉魚落雁鳥驚喧⒆，則怕的羞花閉月⒇花愁顫。

貼：早茶時了，請行。

（旦行介、白）進得園來，看：

畫廊金粉半零星。

池館蒼苔一片青。

（貼白）

踏花怕泥(21)新綉襪。

惜花疼煞小金鈴(22)。

旦：不到園林，怎知春色如許！

（唱）

【皂羅袍】　原來姹紫嫣紅(23)開遍，似這般都付與斷井頹垣(24)。良辰美景奈何天(25)，賞心樂事誰家院(26)。

旦：恁般景緻，我老爺和奶奶再不提起。

（合唱）

朝飛暮捲(27)，雲霞翠軒；雨絲風片，煙波畫船(28)，錦屏人忒看的這韶光賤(29)。

貼：是花都放了，那牡丹還早哩！

（旦唱）

【好姐姐】　遍青山啼紅了杜鵑(30)，荼蘼外煙絲醉輭(31)。

旦：春香啊！

（接唱）

那牡丹雖好，他春歸怎占的先。

貼：成對兒鶯燕呀！

（合唱）

閒凝眄，生生(32)燕語明如剪(33)，嚦嚦(34)鶯歌溜的圓(35)。

旦：我們回去吧！

貼：這園子委實是觀之不足也！
旦：提他怎的！（行介）
（唱）
【隔尾】(36) 觀之不足由他繾(37)，便賞遍了十二亭台(38)是枉然。到不如興盡回家閒過遣(39)。
（貼念）
開我西閣門，展我東閣牀。瓶插映山紫(40)，爐添沉水香(41)。
貼：小姐，你歇息片時，俺瞧瞧老夫人去也。
（下）(42)

【注釋】

(1)亂煞年光遍——到處都是鬧嚷嚷的一片。
(2)炷盡沉煙——炷，燒也。沉煙，即薰香料的沉水香。
(3)恁——如此的。
(4)關情——即生情。
(5)梅關——即大庾嶺。宋代在此設梅關，位於今江西省南安縣南。

(6)貼——侍女，丫鬟。
(7)宜春髻子——古時立春之日，由婦女剪彩紙作燕子狀，並戴在髻上，貼上「宜春」二字，以示迎春之意。
(8)雲髻……添香——兩句取自全唐詩卷二十，薛逢所作之宮詞。
(9)裊晴絲吹來閒庭院——裊，繚繞的意思。晴絲，遊絲，像蜘蛛網細絲。全句意謂看見一縷遊絲吹進庭院，在空中晃蕩，才知是春到人間了。「晴絲」與「情思」爲諧音雙關。
(10)沒揣——即突然間的意思。
(11)迤逗的彩雲偏——迤逗，即引得、惹得。彩雲，指頭髮。
(12)行介——舞台上行走之台步。
(13)穿插——扮裝、打扮之意。
(14)茜——音欠，草名，白花根可染紅，形容衣裙顏色之鮮麗。「翠生生」亦爲形容顏色鮮艷之意。
(15)艷晶晶——光亮燦爛之狀。
(16)八寶瑱——指各種各樣的寶石。
(17)天然——天性使然。
(18)三春好處——喻自己的青春美貌。
(19)沉魚落雁——莊子齊物論：「毛嬙、麗姬，人之所美也，魚見之沉入，鳥見之高飛，麋鹿見之決驟，四者孰知天下之正色哉？」就是說：人以爲美的，魚鳥並不知其美，亦即明凡夫愚昧、妄生愛憎。戲曲中，反借用爲形容美人之辭，指魚鳥見到美人時，因自愧不如而下沉或停落。
(20)羞花閉月——說花雖美，見到美人也自覺羞愧；月色被雲輕掩時，更見其動人。

(21)泥——沾污，弄髒之意。

(22)小金鈴——此指鞋，用以指腳而言。舊時女子，在鞋尖上端常繫有金鈴，走動時叮噹作響。兩句是說踩在草上怕弄髒了新綉襪；走在花間，彎彎曲曲的走，小小的腳都走痛了。

(23)姹紫嫣紅——指花色之鮮艷，紫用「姹」，紅用「嫣」。

(24)斷井頹垣——指荒廢被棄的淒涼庭院。

(25)良辰美景奈何天——謝靈運「擬魏太子鄴中集詩」序：「建安末，余時在鄴宮，朝遊夕讌，究歡愉之極。天下良辰、美景、賞心、樂事，四者難並。」奈何天，是說天氣雖好，無心欣賞，只徒呼奈何了。

(26)誰家院——那一家之意。與上句相連，是說美好的景象、盛開的花卉與衰落的院落不能相稱。

(27)朝飛暮捲——唐王勃「滕王閣序」：「畫棟朝飛南浦雲，珠簾暮捲西山雨。」是形容畫棟珠簾的壯麗景象。

(28)煙波畫船——將庭院內的景物加以擴大並想像。表示其不願受深閨約束，想看看外面廣闊世界。

(29)韶光賤——韶光指美好風光。賤，輕易糟蹋。美好的景色對關在深院中的人（錦屏人）而言，實在是糟蹋了。

(30)啼紅了杜鵑——啼，開放。杜鵑，杜鵑花。

(31)煙絲醉輭——指荼蘼花葉非常柔輭（軟），像喝醉般。

(32)生生——形容燕子飛鳴時的清脆音聲。

(33)明如剪——明快如剪刀剪物般。

(34)嚦嚦——形容鶯的流暢鳴聲。

(35)溜的圓——圓滑宛轉而動聽。

(35)隔尾——由於「遊園」「驚夢」兩段原是合在一起的，在這地方做簡單分隔，稱「隔尾」，表示後面還有接續的文字。

(37)纏——牽連、引起之意。

(38)十二亭台——很多亭台之意。漢書郊祀志：「方士有言，黃帝時爲五城十二樓，以候神人。」應劭注：「五城十二樓，仙人所常居也。」故全句謂：縱使遊遍仙境，也是枉然無意義。

(39)過遣——消遣。

(40)映山紫——狀似漏斗，杜鵑花的一種，又名映山紅。

沉水香——即沉香。

(42)下——「遊園」段演至此止，春香下舞台。此後是麗娘自嘆身世，遊園已乏累，進入夢鄉，夢見柳夢梅。

【賞析】

「牡丹亭」一問世就轟動當時文壇，幾乎成爲「家傳戶誦」的讀物，贏得了許多年輕女性的同情之淚，「遊園」段由六隻曲子組成了情思綿邈、春情淒惋的遊春之歌，生動表現了顧影自憐的少女的微妙心情，亦是其中之一。

此段把抒情、寫景和人物心理活動結合起來，產生了極高的藝術效果。首先以「遶地遊」及「烏夜啼」二曲表現一位被禁錮在「小庭深院」的少女生活，不是睡就是綉花的無趣，襯托「滿懷春情關不住」，爲「遊園」奠定了感情的基調。於是她以「步步嬌」打扮起來，用梳妝的動作表現出少女的嬌羞，顧影自憐的讚詞，將杜麗娘嚮往美好愛情與自由的個性及情趣，做進一步補充。再來則以「醉扶歸」襯托出美麗華貴的生活方式束縛了杜麗娘的個性發展，烘托杜的內心世界，看見她在對自我的讚賞中，有著無人能懂的怨，是傷春之曲。明媚的春光止不住杜麗娘的深情，她唱著「皀羅袍」來表現情與景的矛盾，產生了強烈藝術效果。「紅」與「紫」映對著「喜」與「怨」，她感嘆自己「生於宦族，長於名門，年已及笄，不得佳偶」的不滿和怨恨，明白顯現出來。她只得以想像手法寫雲、霞、雨、風、煙波、翠軒、畫船等所反映深閨的寂寞惆悵。此曲中有實有虛，以實寫現實，以虛寫理想；客觀描繪、主觀抒情交融至傷春最深。此情更延續到「好姐姐」一曲中青的山、紅杜鵑、白荼蘼的鮮亮色彩，卻深沈地在反襯尚未開放的牡丹，那「如花美眷，似水流年」的嘆息，眞是句句景語、字字情怨。最後「隔尾」部分，使受禮教極大壓抑的杜麗娘更加強了悲劇性格。這爲下文的「驚夢」做了一個預備。

「遊園」表現了明末清初女子的覺醒，她身上有著強烈的叛逆情緒，在大力推崇程朱理學的明末，具有相當積極的社會意義。「詩人玉屑」說：「意在言外，使人思而得之」，顯現了湯顯祖的藝術才華和劇作的藝術特點。

【問題與討論】

一、明傳奇與元雜劇有何異同？
二、「遊園」一篇能否見出湯顯祖的思想及心境？
三、「牡丹亭」劇可能對當代做了何種批判？對當時的人心，是否也有所批判？
四、「遊園」各曲分別表現杜麗娘如何的心態變化？

一四 新詩選

【說明】

政府遷台以後，由於環境特殊，新詩轉入愛國詩時期。民國四十二年，紀弦、白萩等人創立「現代詩社」，發行「現代詩刊」，提倡「現代詩」，主張橫植西方技巧；四十三年，覃子豪、葉珊等人創立「南星詩社」，發行「南星週刊」，提倡「抒情詩」；同時，張默、洛夫、瘂弦等人也發行「創世紀」詩刊，提倡「民族詩」，主張延續傳統。於是詩風頓變，而新詩到底該走那一個路向，也因而引起檢討。漸漸地，各派的風格有了改變，不再是單純的固守一方，而是多向的融合；既吸收傳統，又注入現代生命，既抒情寫意，又敍事記景，一直到現在，仍沒有明顯獨特的詩風出現。這裏我們選了兩位作家的作品，其中，紀弦是現代詩的代表，而余光中，則是融合各種詩風的名家。

一 七與六

紀 弦

【作者】

紀弦，本名路逾，民國二年生於湖北。少年時期遊遍北平、上海、漢口、廣州等大都市。民國二十二年，二十一歲，蘇州美術學校畢業，至日本留學。

民國二十六年，二十五歲，從日本回國。
民國二十七年，二十六歲，任教台灣成功中學。
民國四十二年，四十一歲，創現代詩社，發行現代詩刊。
紀弦對我國新詩之發展有很大的貢獻，他的詩集有飲者詩鈔、紀弦詩選、五八詩草等。另外，還有新詩評論集、紀弦詩論、紀弦論現代詩等。

【本文】

拿着手杖7
咬着煙斗6
數字7是具備了手杖的形態的。
數字6是具備了煙斗的形態的。
於是我來了。
　手杖7＋煙斗6＝13之我

一個詩人。一個天才。
一個天才中之天才。
一個最不幸的數字。
唔，一個悲劇。

【賞析】

這是一首典型的現代詩，文字之使用與排列相當獨特。一個拿著手杖、刁著煙斗的人，相信不會給你什麽特殊的感覺，可是，透過數字形象的聯貫，它們活了；原本沒有意義的組合，一下子成了深邃哲理的表徵。由物象而數字，由形象而意義，這一份聯想，豈是一般人所能做到的？作者自許爲「天才」，看來是有幾分道理了！只是，這樣的天才也眞是可悲，不然的話，怎麽連看到手杖、煙斗都會想到「13」呢？或許，傷感眞的是很深，所以才觸目驚心吧！

二　電話亭

余光中

【作者】

余光中，福建永春人，民國十七年生。民國三十九年，二十三歲，台灣大學外文系畢業。

民國四十一年，二十五歲，獲台大研究院碩士，精研英國文學。
民國四十八年，三十二歲，任師範大學講師。
民國五十年，三十四歲，獲美國愛荷華大學藝術碩士。
民國五十一，三十五歲，又任師範大學講師。
民國五十三年，三十七歲，赴美任客座副教授，先後執教於密西根、賓夕尼亞等大學。
民國五十五年，三十九歲，回師範大學任教。
民國五十九年，四十三歲，赴美國丹神私立奇鐘女大學院任客座教授。
民國六十年，四十四歲，任台灣大學教授。
民國六十三年，四十七歲，任香港中文大學聯合書院教授。
民國六十四年，任聯合書院中文系主任。
他的著作有新詩集鐘乳石、白玉苦瓜，散文集左手的謬思、聽聽那冷雨等，並譯有梵谷傳、老人與大海等。

【本文】

不古典也不田園的一間小亭子
時常，關我在那裏面

一陣凄厲的高音
電子琴那樣蹂躪那樣蹂躪我神經
茫然握着聽筒，斷了
一截斷了的臍帶握着
要撥哪個號碼呢？
撥通了又該找誰？
不過想把自己撥出去
撥出這匣子這電話亭
撥出這匣子這城市
撥出這些抽屜這些公寓撥出去
撥通風的聲音
撥通水的聲音
撥通鳥的聲音
和整座原始林均匀的鼾息

【賞析】

這首詩所表現的是城市居民的苦悶、期求與無奈，電話亭恰如一間公寓、一座都城，關著、惱著人們，生活其中，誰不期望擺脫、誰不思慕自然呢？可是又怎擺脫得了？明明知道沒人可找，仍要走進話亭，只因悶得實在難過。詩中，將電話線比做斷了的臍帶，代表原始生命力之消失，頗耐人尋味。

錯誤

鄭愁予

【作者】

鄭愁予，本名鄭文韜，河北人。民國二十二年出生於一個軍人家庭，童年時代隨父征戰，足跡遍及大江南北。曾就讀北平崇德中學及北京大學暑期文學班，當時即用筆甚勤，曾發表詩作於北平平民日報、中學生月刊等。

隨家人遷台後，先後就讀新竹中學、中興大學。中興大學畢業後，任職基隆碼頭多年，加入現代派、創世紀詩社等，著力從事新詩的創作。民國五十七年，應邀赴美，在愛荷華大學國際寫作班爲訪問作家，並獲得藝術碩士學位。其後任教於愛荷華大學及耶魯大學東亞語文系，講授中國文學。

鄭愁予曾於民國五十五年獲得青年文藝獎，民國七十六年以〈黃土地〉等十首獲得時報文學推薦獎，民國八十年以〈寂寞的人坐著看花〉獲得國家文藝獎。主要作品有《夢土上》、《衣缽》、《窗外的女奴》等。

【本文】

我打江南走過
那等在季節裏的容顏如蓮花的開落

東風不來，三月的柳絮不飛
你底心如小小的寂寞的城
恰若青石的街道向晚
跫音⑴不響，三月的春帷不揭
你底心是小小的窗扉緊掩

我達達的馬蹄是美麗的錯誤
我不是歸人，是個過客

【注釋】

⑴跫音：腳步聲，跫，音ㄑㄩㄥˊ。

【賞析】

本篇選自《夢土上》，是鄭愁予早期的作品。全詩取意自溫庭筠的〈夢江南〉：「梳洗罷，獨倚望江樓。過盡千帆皆不是，斜暉脈脈水悠悠，腸斷白蘋洲。」而給予現代的，同時也是現代詩節奏的詮釋，創造出一種介乎傳統與現代之間的特殊感受。

江南的容顏是美好的，江南的等待則是有歷史的，打從南朝民歌開始，江南美女的等待就是一種淒涼的美。雖然時移世異，新人不斷的代換舊人，但是等待仍是江南最令人印象深刻的主題。詩人以「蓮花的開落」代表時間的流程，以「等在季節裏的容顏」呈現等待的主題，下筆似是不甚著力，意象卻極端鮮明。由這個意象衍伸下去，「小小的寂寞的城」、「小小的窗緊掩」，都緊緊的抓住等待的心境，而「東風」與「跫音」則是維繫希望的所在；同時以「不來」、「不響」製造一種懸宕的意味，更加重了等待的氣氛，因而導出那個美麗的錯誤來。

整首詩以等待出發，以誤認作結，是一種反用典故的手法，創造了對江南的美麗的遐想，令人不由自主的想起韋莊的〈菩薩蠻〉那五首美麗又感傷的詞句。最值得稱道的，是全詩的音韻優雅流暢，極富節奏美感，在現代詩中幾乎找不到可以與之比擬的作品。無怪乎楊牧試圖把這首詩翻譯成英文時，要感到萬分的困難了。

阡陌

林泠

【作者】

林泠，本名胡雲裳，廣東開平縣人，民國三十七年生。臺灣大學化學系畢業，後赴美留學，獲佛羅里達州立大學博士學位，之後一直服務於美國化學界。

林泠很早就開始她的寫作生涯，初中時即加入詩人紀弦主持的現代詩社，六十年代以來，一直是頗受重視的現代派女詩人。不過她的詩齡雖長，但實際上只出版過一部《林泠詩集》；創作量不豐，不過作品的品質卻相當好。她具有穿透表象直視事物核心的藝術能力，經常可以在一般人習以爲常的事物當中挖掘出新意，詩作總是能夠表現出形象清新、意境深遠的藝術特色。

林泠的作品曾經入選一九八七年英國企鵝圖書公司出版的《企鵝世界女詩人選集》，該書只選入兩位當代的中文女作家，林泠爲其中之一，可見她的詩頗見重於世。

【本文】

你是縱的，我是橫的
你我平分了天體的四個方位

我們從來的地方來，打這兒經過
相遇。我們畢竟相遇
在這兒，四周是注滿了水的田隴

有一隻鷺鷥停落，悄悄小立
而我們寧靜地寒喧，道著再見
以沉默相約，攀過那遠遠的兩個山頭遙望

（——一片純白的羽毛輕輕落下來——）

當一片羽毛落下，啊，那時

我們都希望——假如幸福也像一隻白鳥——

它曾悄悄下落。是的，我們希望

縱然它是長著翅膀……

【賞析】

這首詩表面上是寫景，但深入去探尋，卻會發現它是一首情詩；詩人是借用表象的景物，襯托感情世界的深奧難測。從邂逅而相知，這是所有愛情的經過，但是套用另一詩人余光中的話，每一次愛情的起頭都是相遇，但每一次愛情的結束卻也都是分離；在這樣一個命定結局的前提之下，所謂的幸福就很值得懷疑它能持續多久了。

因此，當我們看到「我們都希望——假如幸福也像一隻白鳥——它曾悄悄落下」這樣的詩句，我們可以清楚的了解到這不只是一首寫景詩，雖然詩的前半部一直在阡陌、田水之間游移。事實上，阡陌是一縱一橫，彼此之間的交會總是短暫的，但就在這短暫的交會中，「四周是注滿水的田隴」，正表示著幸福是充滿整個生命的。

詩人很清楚，幸福是一隻白鳥，在我們交會之際悄悄的落下，但幸福之鳥是有翅膀的，它必然要飛走，這一點詩人更加清楚，所以我們所能追求的，就變成所謂：「不在乎天長地久，只在乎曾經擁有」了。

一五　詞之境界

王國維

【作者】

王國維本名國楨，字靜安（一作靜庵），亦字伯隅，初號禮堂，晚號觀堂，又號永觀，浙江省海寧縣人。

清德宗光緒三年十月二十九日（西元一八七七年十二月三日）生。

光緒九年（西元一八八三年）七歲，入私塾讀書。

光緒十八年（西元一八九二年），十六歲，入州學，與同郡陳守謙、葉宜春、褚喜猷過從甚密，互相討論稱許，鄉里之人稱他們爲「海寧四才子」。

光緒二十年（西元一八九四年），十八歲，二十三年（西元一八九七年），二十一歲，兩度到杭州應考「鄉試」，都因文章體式不合落第。

光緒二十四年（西元一八九八年），二十二歲，到上海擔任時務報館的書記和校對工作。羅振玉等人創東文學社，聘日人藤田豐八爲教授，王國維利用空暇前往聽講，很得羅氏賞識。

光緒二十七年（西元一九〇一年），二十五歲，東文學社畢業後，任武昌農學校日文翻譯。

光緒二十八年（西元一九〇二年），二十六歲，前往日本留學，不久，因腳病回國。

光緒三十年（西元一九〇四年），二十八歲，任江蘇師範學校教授，潛心研究哲學、詩詞、曲。

宣統辛亥年（西元一九一一年），三十五歲，辛亥革命成功，携家東渡日本，五年之間，全以讀書研究爲本職，是王國維爲學最力、進德最猛的時期。

民國五年（西元一九一六年），四十歲，應旅居上海的英國人哈同之聘，主編「廣倉學窘叢書」。

民國七年（西元一九一八年），四十二歲，兼任倉聖明智大學教授。

民國八年（西元一九一九年），四十三歲，應烏程蔣汝藻之聘，編「密韻樓藏書志」，並接受嘉興沈曾植的約請，爲浙江通志局擔任寓賢、掌故、雜記、仙釋、封爵等五門的撰述工作。

民國十年（西元一九二一年），四十五歲，將十年來重要學術論文，重新修訂，選取精華，編成「觀堂集林」二十卷。

民國十一年（西元一九二二），四十六歲，接受北京大學的聘請，任研究所國學門通信導師。

民國十二年（西元一九二三年），四十七歲，應溥儀之命，檢理昭陽殿書籍，鑑定內府所藏之古器。

民國十四年（西元一九二五年），四十九歲，任清華研究院教授。

民國十六年（西元一九二七年），五十一歲，跳頤和園的昆明湖自殺。

王國維聰明過人，喜歡隨意瀏覽，最不喜歡八股文和帖書一類的課程。他首先研究的是哲學，喜歡康德、叔本華的學說，以後又研究文學，致力於詩詞戲曲，晚年則專治甲骨文字。他非常看重文學家，曾經說：「生百政治家，不如生一大文學家。」

王國維做學問非常謹愼，而且能開新風氣。著有曲錄，歌曲考源，宋大曲考，優語錄，錄曲餘談，古劇腳色考，曲調源流表，宋元戲曲史，人間詞話，人間詞，紅樓夢評論等書。

【題解】

本課節選自王國維人間詞話卷上開頭的幾段。人間詞話是作者讀諸家詩詞曲的獨到心得，共分上下兩卷，末附詞話補遺一篇，專論詞，間及詩曲。

人間詞話全書是議論前人詩詞的得失與境界的高下。本篇可說是全書的基礎，闡明作詞以境界爲最根本，才能產生高格調的作品。作者並舉前人的詩詞爲例證，來說明詞的境界有有我之境、無我之境的風格，境界又有大小、宏壯優美的不同。

【本文】

詞以境界(1)爲最上，有境界則自成高格，自有名句，五代北宋之詞所以獨絕者在此。

有造境(2)，有寫境(3)，此理想與寫實二派之所由分。然二者頗難分別；因大詩人所造之境，必合乎自然，所寫之境，亦必鄰於理想故也。

有有我之境(4)，有無我之境(5)。「淚眼問花花不語，亂紅飛過秋千去(6)。」「可堪孤館閉春寒，杜鵑聲裏斜陽暮[7]。」有我之境也。「采菊東籬下，悠然見南山[8]。」「寒波澹澹起，白鳥悠悠下[9]。」無我之境也。有我之境，以我觀物，故物皆著我之色彩；無我之境，以物觀物，故不知何者爲我，何者爲物。古人爲詞，寫有我之境者爲多，然未始不能寫無我之境，此在豪傑之士能自樹立耳。無我之境，人唯於靜中得之；有我之境，於由動之靜時得之；故一優美，一宏壯也[10]。

自然中之物，互相關係，互相限制，然其寫之於文學及美術中也，必遺其關係限制之處，故雖寫實家亦理想家也。又雖如何虛構之境，其材料必求之於自然，而其構造亦必從自然之法律，故雖理想家亦寫實家也。

境非獨謂景物也，喜怒哀樂亦人心中之一境界，故能寫眞景物、眞感情者，謂之有境界，否則謂之無境界。「紅杏枝頭春意鬧[11]。」著一「鬧」字，而境界全出；「雲破月來花弄影[12]。」著一「弄」字，而境界全出矣。

境界有大小，不以是而分優劣[13]。「細雨魚兒出，微風燕子斜[14]。」何遽[15]不若「落日照大旗，馬鳴風蕭蕭[16]。」「寶簾閒掛小銀鉤[17]。」，何遽不若「霧失樓臺，月迷津度(18)。」也？

嚴滄浪詩話(19)謂：「盛唐諸公，唯在興趣(20)，羚羊掛角，無跡可求(21)，故其妙處，透徹玲瓏，不可湊泊(22)，如空中之音，相中之色，水中之影，鏡中之象(23)，言有盡而意無窮。」余謂北宋以前之詞，亦復如是。然滄浪所謂「興趣」，阮亭所謂「神韻(24)」，猶不過道其面目，不若鄙人拈出「境界」二字，爲探其本也。

【注釋】

(1)境界—佛家謂「六根」（眼、耳、鼻、舌、身、意）所感知的色、聲、香、味、觸、法等六種形象爲「六境」，文學上所謂的「境界」即由此而來。境界，謂人所感知的形象；而所謂形象又有具體、抽象之分，景物是具體的，情意是抽象的。

(2)造境—作者憑主觀的意識所創造的境界。

(3)寫境—寫客觀事物所形成的境界。

(4)有我之境—因外物激引，動盪自我情意而產生之境界。

(5)無我之境—契合無間，不受外物激引，情意超然平靜時，把自己視如萬物之一，與萬物平列而所產生之境界。（並非沒有自我的情意，而是情意與外物合一，不再因外物而起喜怒好惡之感興。）

(6)淚眼……千去—二句見馮延己鵲踏枝。亂紅，隨風飄落亂飛的紅花。秋千，就是鞦韆。在這兩句詞中，作者因景而感傷流淚，又於落淚之際間問無知之花，情意波揚，純然是以自我感傷之發洩爲主，故爲有我之境。

(7)可堪……陽暮——二句見秦觀踏莎行。可堪，怎堪；那能忍受。館，客館。杜鵑，鳥名，鳴聲淒厲。寫這兩句時作者貶謫郴州（今湖南郴縣），有羈旅思鄉之愁，所以動輒因景感傷，也是宣洩自我情意的。

(8)采菊……南山——二句見陶潛飲酒詩。悠然，悠閒自在的樣子。南山，指陶潛家鄉的柴桑山。陶淵明寫此詩句時，並沒有因南山而起傷樂之情意，只是感受到自己的悠閒正如靜幽之南山，兩者同情相悅而已，所以是無我之境。

(9)寒波……悠下——二句見元好問穎亭留別。澹澹，水波輕輕浮動。此兩句以景物之悠遊，象徵作者之閒適，其妙合一體之情意更容易了解。

(10)無我……宏壯也——無我之境，作者純靜超然，是爲優適之美。有我之境，作者先是由物起興，而後理性的敍說其感興，所以是由動至靜時得之，是宏壯之境。

(11)紅杏枝頭春意鬧——見宋祁玉樓春。指枝頭開滿了紅杏，春意盎然。紅杏盛開，本來只見形色，用一「鬧」字，變得有聲有色。而春天來臨，本來無意用一「鬧」字，生機倍增。

(12)雲破月來花弄影——見張先天仙子。指雲破月出時，花在月下搖曳。花兒搖曳，本來只有風兒相伴，說成「弄」「影」，不只有花有風，還有雲有月，景物交融，氣象萬千。

(13)不以……優劣—境界之大小並不代表境界之好壞。

(14)細雨……子斜—見杜甫水檻遣心第一首。這二句是輕巧細緻的境界。

(15)遽—遂，就。

(16)落日……蕭蕭—見杜甫後出塞詩第二首。這二句是雄壯宏大的。

(17)寶簾閒掛小銀鉤—見秦觀浣溪沙。寶簾，用珠串成的簾子。銀鉤，銀質的簾鉤。這是細巧精緻的。

(18)霧失……津渡—見秦觀踏莎行。在濃霧中，雖有月光，也找不到樓臺，看不清渡頭，這是廣遠的境界。

(19)嚴滄浪詩話—嚴羽，字儀卿，一字丹邱，南宋邵武人，自號滄浪逋客，爲我國一大文學批評家，著有滄浪詩話，主張學詩必須有「識」（見解須高），立「識」之道在於妙悟（頓悟），而妙悟不全復須以興趣爲基礎。

(20)盛唐……興趣—盛唐，指唐睿宗景雲至玄宗開元天寶之間（西元七一〇—七五五）。盛唐詩人有李白、杜甫、孟浩然、王維、王昌齡、高適、岑參等。興趣，所感發之情意趣致，一方面是作者由外物所引起的，一方面是讀者由作品所引起的。

(21)羚羊……可求—羚羊的角像枯樹榦，夜裏把角架樹枝上，逃避禍害，無跡可尋。盛唐詩以感悟之情意爲主，非若景物有具體之形迹可尋。

(22)透徹……湊泊—玲瓏，空明的樣子。湊泊，接近、捉摸。

(23)空中……之象—比喻詩意可以領會，不可執尋。

(24)阮亭所謂神韻—清王士禎，字貽上，號阮亭，又號漁洋山人，順治康熙間人。論詩主張「神韻」，講求神采韻味，不喜歡逞才氣，敘景物，作雕飾，特別推崇嚴滄浪。

【結構】

請依提示，整理出王國維對「境界」的主要論點、種類、分別（舉例說明）

一、就客觀對象而言(一)　(二)

二、就主客關係而言(一)　(二)

三、就境界氛圍而言(一)　(二)

【討論】

一、何謂「造境」、「寫境」？二者之間有何關連？

二、何謂「有我之境」？「無我之境」？請舉例分別加以說明。

三、有無境界以什麼作標準？能否舉例說明之。

【附錄】1

鵲踏枝　　馮延巳

庭院深深深幾許？楊柳堆煙，簾幕無重數。玉勒雕鞍游冶處，樓高不見章臺路。　雨橫風狂三月暮，門掩黃昏，無計留春住。淚眼問花花不語，亂紅飛過鞦韆去。

潁亭留別

元好問

故人重分攜，臨流駐歸駕。乾坤展清眺，萬景若相惜。北風三日寒，太素秉元化。九山鬱崢嶸，了不受陵跨。寒波澹澹起，白鳥悠悠下。懷歸人自急，物態本閒暇。壺觴負吟嘯，塵土足悲咤。回首亭中人，平林澹如畫。

水檻遣心 二首之一

杜甫

去郭軒楹敞，無村眺望賒。澄江平少岸，幽樹晚多花。細雨魚兒出，微風燕子斜。城中十萬戶，此地兩三家。

浣溪沙

秦觀

漠漠輕寒上小樓，曉陰無賴似窮秋，淡煙流水畫屏幽。　自在飛花輕似夢，無邊絲雨細如愁，寶簾閒挂小銀鉤。

△康德（Kant Immanuel, 1724—1804）

德國哥尼斯堡人，先世出自蘇格蘭，其父業鞍工，家貧，父母皆篤信基督教。年十六，入哥尼斯堡大學，攻讀哲學、神學、數學、物理學諸科，而以哲學、數學爲主。年二十二任家庭教師，歷九年。二十三歲始試著書。其生平僅一遊但澤，未嘗離鄉里，鰥居無妻子。日常起居有規律，時人喻爲哥尼斯堡的大時鐘。卒年八十。著書多達四十種，其學說系統具見三大批判：曰純粹理性批判，曰實踐理性批判，曰判斷力批判。

△叔本華（Schopenhauer Arthur, 1789—1860）

德國人，幼時嘗隨父母遊歷比、法、英、瑞士諸國。初入商業學校，後入格丁根大學修習醫學，嗣又攻研哲理，尤耽研康德及柏拉圖之學，因不滿斐希德（德國人Johann Gottlieb Fichte, 1762—1814）講授哲理，遂閉戶自修，不與人交往。一八一三年提出論文於燕耶大學，獲博士學位，並與哥德論交，嗣獲印度之優波尼剎曇讀之，適與其厭世思想相契合，於是潛居著作，完成其生平傑構之《意志及表象世界》一書，晚年聲名漸起，世以佛琅克弗爾之哲人頌之。惟性孤僻，終身不娶，與黑格爾學者互相攻擊，爭辯不休。

一六　哭聲

李　喬

【作者】

李喬，原名能棋，筆名壹闡提，台灣苗栗大湖人，民國二十三年生。

民國三十九年，十七歲，大湖職業學校蠶絲科畢業。

民國四十三年，二十一歲，新竹師範普通科畢業，先後任教於中小學，課餘從事寫作。

民國六十三年，四十一歲，任苗栗農工職校國文教師。

他的作品以表現鄉土爲主，著有李喬自選集，噍吧哖事件，孤燈，寒夜，荒村等書；後三部是以台灣爲背景之長篇巨作，後來合稱寒流三部曲出版，血淚交織，爲李喬奠定了文學上不可磨滅的地位。

【題解】

「哭聲」寫於民國五十八年，是一系列「蕃仔林故事」的第一篇。蕃仔林是苗栗大湖附近的一個小山村，只有十幾戶人家。臺灣光復的前一刻，日寇作臨死的掙扎，到處搜刮物資，徵調卒役。平日即飽受肆虐的蕃仔林，此時更是潰乏殘破了！在一系列的故事中，作者把這小山村的苦難煎熬，眞眞實實的呈現出來，讀了令人激動不已，久久難安。

「哭聲」描寫兩位即將到南洋當軍伕的年輕人，自認此去必死，所以在臨走之前，結伴至禁地「鷂婆嘴」，去探尋傳說中的哭聲到底是怎麼回事；即使因而死了，也是「生於斯，死於斯」，總比在外地做孤魂野鬼好呢！可是上天作弄人，連死都不能讓他們選擇；他們活生生的回來，沒有發現哭聲，沒有因而死去，沒有避開日人的逼迫，他們終究是要去為敵人賣命的！

其實，這哭聲又何必找呢，它就在大家心裡啊！

【本文】

從苗栗坐汽車，經一小時後到達大湖，由大湖沿小河走石壁間羊腸道九十分鐘，就到了十幾戶人家的「下蕃仔林」。再往上爬五十分鐘陡坡，在山澗「橫坑」兩旁，座落七八間茅屋或桂竹房子，這裏是「上蕃仔林」。再從這裏爬登一條「閻王崎」大概花上四點半鐘，才能達到「鷂婆嘴」。

鷂婆嘴是一塊紫灰斑爛的大巖石，聳立在發黑的森林中，極像一隻展翼下撲的老鷂鷹。

蕃仔林的人，把這地方列為禁區。因為好幾個老一輩人上去之後，就沒有再回來。

這是傳說。但一樁詭譎神秘的事故，却是誰都清楚的，那就是：每個晴朗的黃昏，最後一道夕陽盤旋在鷂婆嘴的片刻間，還有月色美好的晚上，從那高山頂巔上，有時會飄下一縷幽忽淒厲而哀切的哭聲……

■

這天天剛亮，阿福和阿青，各帶一包蕃薯乾一竹筒泉水和長柄伐草刀，由下蕃仔林出發，決定上鷂婆嘴看看。他們爬坡以前，先到「伯公廟」拜一拜祈福求安。這是阿福的意思，阿青笑笑也答應了。

伯公廟神桌上，早坐著阿妹伯阿火仙兩個老貨仔。他們在吸著用樟腦樹葉，參野芋荷葉做的煙捲兒。這是阿火仙發明的香煙。

「阿福，你哪天走？」禿老頭阿妹伯問。

「後天早上出發。」阿福一瞥身邊的阿青，說：「我們同一天。」

「阿青是兵仔，你怎麼和他走在一起？」滿臉鬍髭的阿火仙說。

「都到南洋嘛！」

「眞是怪事，軍伕也到南洋！」

「奇怪？這又不是第一批。」

「喂！阿青，怎麼不說話？」阿妹伯露出一嘴缺牙。

「沒什麼……」阿青低下頭，有點害羞。

……（略）……

「走吧，不然太晚了。」阿青先轉身出去。

「去哪兒？」

「鷄婆嘴！」阿福跟上。

兩個老貨仔啊一聲，站了起來，同時想阻止他們。

「喂！你們兩個，等一下，搞什麼鬼？」

「回來，回來，那裏去不得的！」

「沒關係。我們香火袋仔都縫好啦，還有去不得的地方？」阿福邊走邊揮手。

阿妹伯阻止阿火仙再說話，粗著嗓子喊他們：

「喂！記著，晚上回來，就到我那兒吃蛙肉，算給你們送行！」

「好哇！」阿福很高興，向阿青說：「田蛙仔都給吃光絕種啦，他們還有本事弄到手？」

「聽說是到『石壁崖』下山潭邊捉的，那邊好多肥肥的山蛙仔。」阿青說。

「明天，我們也去弄點吃吃——以後可沒機會啦！」

「嗯。離開故鄉前，能上去看看鴿婆嘴，又到山潭抓山蛙仔，再沒遺憾了。」

「不過，今天能不能平安下來，誰敢包！」

他們是昨天中午，親友們聯合起來請吃飯送行時無意中決定的。從小在蕃仔林長大，聽慣那古怪的哭聲；這一去南洋，十成是不能活著回來，離開前爲什麼不冒險去探看一番呢？

「別去——去送死幹嘛？」有人反對。

「反正……還怕什麼！」年輕朋友却贊成。

……（略）……

■

他們終於來到鴿婆嘴，這座兀突高聳的大巖石下邊。從這裏往上望去，鴿婆嘴像斜斜插入藍天的橢圓形石柱。

「爬到頂端，我看日頭就落山啦！」阿青說。

「這麼陡，這麼滑，別開玩笑！」

「這樣吧，到那片小樹林——翅膀下為止，行吧？」

阿青的意思很堅定，他不等阿福的同意就手脚並用地爬上來了。阿福環顧四周層層包圍的草叢，有點心虛，但只好硬着頭皮跟上去。

這是一座突出左右羣山的巖石，只爬登幾步，回頭一看，已經覺得身在半天上。風很強，隨時會把人刷下去；好在看來光滑滑的石壁，其實長了不少堅韌的小草叢，可以攀附借力。

「阿福哥，會不會有點怕？」

「當然怕！你呢？」

「我也怕，我……」他很想說：「現在我的雙脚好像不聽使喚，硬要往上爬哩！」

「你怎麼樣？你有什麼不對是不是？」阿福大聲說。

「沒有哇！不過，我好想爬到頂上，不然眞不願回去……」

「噯唷！這不行！你停下來！」阿福急爬幾步，把他的腰帶揪住。

「阿福哥你？」

「我看你一定被這，這……」阿福直向石壁呶嘴：「什麼給迷住啦！是不是有點頭暈暈的感覺？」

他被這一說，心裏猛吃一驚，但他馬上記起課本上說的，高山峯頂上，空氣稀薄……他正要解釋，念頭一轉，却想逗逗阿福：

「有一點。我，心頭有點亂……我要上去！」他掙脫阿福的手，眞有點醉薰薰似地，往上猛抓猛爬。

「阿青！阿青！不要哇！」阿福一面喊一面拚命追。

「哈哈！妙啊！好涼快！哈哈！」

他狂笑。頭髮致吹得東倒西歪，大部份垂掛臉上；上衣翻飛獵獵作響，他發覺自己不是在造作啦；好像眞不能自制啦，雖然心底明白自己確實清醒著。

難道阿福說的會是眞的？我是被什麼鴿婆嘴精或魍神迷住嗎？不然爲什麼我會這樣呢？我心裏很清楚，可是爲什麼不命令手脚停下來呢？我好像故意要去冒險，好像和自己過不去？他想著，苦心用力想著。然而想歸想，手腳仍然繼續迅快往上划動。阿福把竹筒伐草刀都摔掉了，不知哪來的力氣，四肢並用追趕了六七十步終於給追上。

現在石壁平坦些，是接近「翅膀」的陰蔭了。阿福一個箭步衝上，由後面把他橫腰一攬一抱；使他身體頓失重心，阿福乘勢扭腰一摔，把他摔倒地上而自己也跟著倒下，壓在上面。他的伐草刀也在倒下時彈開老遠。

「阿福……瘋了你！」他喘氣如牛。

「阿青，抱歉，我要——」阿福騰出右手，揑緊拳頭向他臉頰揮過去，「拍，拍」兩記；他的上半身向左傾斜，快成臉朝下背朝上了。

「失禮……阿青，你醒了沒有？」阿青站起又蹲下。

「唔……」他只感到天旋地轉，暈脹得厲害。他眞是被揍得迷糊啦。痛楚漸漸退去，接著怒火呼地騰空而起，他掙扎著爬起來，搖搖頭，回頭尋找阿福。正好阿福投過來驚慌，焦急，求饒的眼神。

「嗚……」他突然失聲抽噎起來。

「阿青，你沒事吧？對不起啊，對不起……」

「阿……福……哥……」

「原諒我，我是不得已的，我聽說這時只好用打……」

「我，我好想哭。」他想想，又覺得笑意快浮上唇角啦。他沒解釋什麼，好像挨這兩拳是應該的。

兩個人都漸漸平靜下來。這才發現，這遠看像翅膀的一塊青綠實際是相當寬闊的雜樹林。

他承認自己剛才有點「毛病」，可是現在好了，一定要進入樹林看看。阿福拗不過他，只好跟着。

進入這塊「翅膀」裏面以後，眼前的景象全變了；這竟然是一片高大蒼翠的松林；不見一棵外邊那種枝椏橫生的雜樹。

松林下，土地肥沃，但蕪草很少，只有一叢叢纍纍凸出地面，不知幾「代」沒人採擷的老薑頭，和一些隨風搖曳的不知名紫色小花。

「回去吧！這裏不對勁兒！」阿福又要後退。

「什麼不對勁？」

「高山頂巔，怎麼會有松林？說不定是……」

「是有點奇怪。」他也有點心寒，但他說：「就是這樣，也許可以找到謎底？」

「什麼謎底？」阿福啞着嗓子，生怕被誰聽到似地。

「哭聲呀！」

「唔……」阿福呻吟了一聲，脚步停下來。

「走，看松林盡頭是什麼地方。」

「我不……」

他叫阿福留下，他自己去。阿福不肯。他問阿福是不是不敢留下？阿福說也不是。

他現在精神好，腦筋十分清楚，反問阿福是不是被什麼迷住啦？

「走！走！想透了還怕什麼？刀山火海，也跟去！」阿福被激火了。

松林，延伸到「鷂腿」部位上段爲止。這裏蔓藤糾纏，綠蔭四塞，好像長年日光透不進來。嵯峨嶙峋的巖石壁板，長滿綠苔，所以一團涼氣逼撲過來。

「噯呀！好地方！」阿福先叫起來。

「這裏眞可以住人。」

現在，好像都忘了恐懼；綁緊草鞋帶子，手脚並用，很快就走入重叠反複的巖石之間。

「阿福哥，我眞願在這裏過一輩子。」他坐下來。

「是呀！」阿福亢聲回答。

「眞希望有這樣的日子。」

「嗯。」

這回阿福囘答得無精打彩。就在這時阿福啊了一聲，往斜上方一塊濕濡濡的巖石撲過去。阿福脚底一滑身子一偏打了兩個滾跌落丈把下面去；誰知不哼一聲就又爬起來，爬上去。

「看到什麼？」他也注意着了。

「看！金線蘭！這麼多，金線蘭呀！」阿福的喊聲沙啞帶顫。

這眞是驚人的發現；一大叢葉片墨綠，却帶兩道金黃閃亮線條的金線蘭，足有二十莖那麼多。兩個人對看着，完全懾住了。最後還是阿靑說：

「恭喜啦！」

「當然！」阿福吁一口氣：「我會分些給你。」

「發財了！」

「我們都發財了！」阿福把好大一叢蘭慢慢拔起。

「怎麼分呢？」

「這樣吧，三股，我得兩股，你分一股，可以嗎？」阿福說着，就要拆散它。

「好是好。不過慢點拆！」

「怎麼？」阿福的臉色不大好看。

「坐下，阿福哥。」他自己找個位子坐下，兩眼不離金線蘭，說：「這樣名貴的蘭，拿回去，怎麼處理？」

「賣呀，還怕沒人要？」

「我看不見得，現在是什麼時候？」

「那，那就弄囘家種一段時間再說！」

「沒人好好培植，會枯死的，一定！」

「唔！」阿福像被油簍蜂叮了一口，直皺眉頭，連嘴唇都歪啦。

阿青也陷入莫名的恍惚裏，他的心底激盪得很，他暗暗替阿福難過，然而他馬上瞭解，實在也是爲自己難過。

「那怎麼辦？」阿福像要和他吵架。

「我想，還是種囘原地方……」

「那怎麼行，不被別人弄走？」

「誰會弄？只要我們都不說。」

「不說？」阿福控制不住了：「不說，我們一死，哼！」

「你可以給阿福嫂講，她當然上不來，等到你的女兒……」

「那你要告訴誰？」阿福笑着，唇角鼻翼間抽顫不已，眼睛瞇成一線。

他覺得阿福的笑容比哭還難看。他告訴阿福，爸媽老翹翹地知道了也沒用，等自己萬一活着回來才打金線蘭的主意。

「那我也不告訴老婆了！」阿福下決心地。

「不行，我們總得告訴一個人，你知道的……」

他們把金線蘭種回去，看了又看才戀戀不捨地離開。他們這時注意到了：在長金線蘭的巖石下是一個相當大的山洞；洞口朝南，洞裏很乾燥，有兩個斗大很平的石塊；在山洞深處鋪着一堆乾草葉。他們拉拉扯扯地在洞口上張望，捨不得離開却又不敢進去。

「阿青，你看是？」

「你看呢？」

「一定有什麼住在這裏，人或者怪物！」

「我想也是……」他突然皺起鼻子，認眞嗅着。

「也許逃犯，也許像阿漢叔，阿妹伯那批人……」

「嗯。不過，我想一定不在了，死了——咦？你聞到沒有？」他有了新發現。

「什麼？死屍的味道？」

「很腥，好像山猪的臭味！」

「哇！那走！」阿福拔腿就跑。

「唔，大概我聞錯了，別慌嘛！這麼多藤仔，樹木，不怕山猪的。」

「伐刀沒有在手上。如果是大蛇呢？走走！」

給阿福一說，他的怯意也加深，只好跟着走開，他離開洞口爬上大石板正要退出去：猛地瞥見一嗎白森森的東西。

「噯唷！」他全身一顫，手脚一僵，從石板上滑落下來。現在他又站在洞口外邊。

那是一副完好的骨骸，放在一塊烏黑的什麼木板上，木板夾在裏左兩面巖石空隙處，離地三尺多高，部份被突出的巖石擋住，所以只能在洞口左側稍高的地方才看得清楚。

這時阿福折回來也看見了。兩個人，不知誰拖拉誰急忙脫離這地方，爬上松林。

「一把全銹的大刀，拳頭師傅用的。你看到沒有？」他悄聲說。

「看到了。一定還有人。」

「一定死了！」他發覺心還在狂跳。

「骨骸放得好好地……」

「也許同伴替他放的，但同伴後來也死了。」

「你怎麼能一口咬定死了呢？」阿福不服。

「我只是這麼猜罷了。」

「阿青，你別忘了那哭聲……」

「哭聲……」他吞了一片石頭似的。

「……」

「……」

「你想是誰的骨骸？」阿福說。

「你剛才不是說，也許是逃犯或什麼嗎？」他油然想起很多，那是老爸爸閒談時，透露的故事……

「你也說是囉？」

「唉！是不是都不重要！」他的興緻與好奇心，宗全消失了。

「我是說那哭聲……」

「我們回去吧！」他找到了伐草刀。

「喂！現在我反而想探個明白！」阿福說。

「我看不用探啦！」

「爲什麼？」

「永遠查不出來的，或者說，我們已經查出來了！」

他不讓阿福再開口，指指日頭；日頭已經不那麼白亮，是濃濃的土黃色，離開遠遠的大湖那邊的西面山頭，只已一枝筷子那麼高。風，越來越涼。

下坡的速度，比上坡快好幾倍。當四周驟然暗下來時，只好摸索而下，走兩步滑一跤，但還是很快。

「阿福哥，這樣一路溜下去，好暢快，像小孩時候！」他說。

「唔……」

「你在想什麼？」

「沒有……」

不知什麼時候起月亮就爬上鷂婆嘴的上端了。月光灑在腦後，背板上，涼膩膩的；破碎的影子長長地直往坡下流。

林阿槐的茅屋，孤零零浸在月光裏，灰白一片，靜悄悄的。

「阿槐嫂，不知睡了沒有？」阿福說。

「唔……」

「你想什麼？」

「沒有。」他回答。他是在努力控制自己，不想過去也不想以後。

「閻王崎」像一條拉直的死蛇躺在那裏。月光下，黑得發綠，好像夢中那種顏色。

「——嘤——嗚……」

「來了！」兩人同時提醒對方。

「——嘤嗚……嘤嗚……」

哭聲！是哭聲！這回兩人都聽得清清楚楚。
是一縷飄忽的，柔軔的，凄厲而哀切的哭聲……
哭聲潑散開來；不單鷂婆嘴那邊，閻王崎左側的山澗，右旁的杉樹木，下邊的橫坑……四方八面都迴應着，游移着。
恍惚裏，哭聲又似乎是從月亮上邊飄下來的。
「怎麼樣？」阿福問。
「什麼怎麼樣？」
「找去！」
「不。」阿青搖搖頭，在「閻王崎」端坐下來，喃喃自言地：「也許是我們的幻覺。」
「你是說，腦筋錯亂？」
「嗯。也許我們全蕃仔林的人，都患了幻覺的毛病……」
「唉！我看你又被什麼山妖鬼怪迷住啦！」阿福也坐下來，拿出那兩片石頭，撫摸着。
「走吧！看能不能趕上吃阿妹伯的蛙肉！」阿青一挺腰，伸直雙腳屁股着力，反手一推，身子往下滑行了。

阿福左右張望一陣，也跟着滑下來。

哭聲，淒厲而哀切的哭聲，還在遠遠近近飄忽着，游移着……。

一九六九年

【結構】

這兩位年輕人面對日軍之徵調，既無力反抗，又捨不得離開故里之心情，文中常有意無意間顯現出來，請依提示各舉數例來說明：

一、明知必死，卻又無奈之哀傷：

㈠舉例： ㈡說明：

二、故里值得留念，卻又不得不走之惆悵：

㈠舉例： ㈡說明：

【討論】

一、請摘錄直接描寫「哭聲」的段落，並說明「哭聲」的象徵意義。

二、文中，阿青、阿福為何要去探鴿婆嘴？

一七　三更有夢書當枕

琪　君

【作者】

琦君，本名潘希眞。浙江永嘉人，生於民國六年（一九一七），之江大學中文系畢業。民國三十八年來臺，服務於司法界，歷任高檢處紀錄股長及司法行政部編審科長等職，負責編輯並撰寫受刑人教化教材。後曾任教國立中央大學及中興大學中文系，講授新舊文學。

她曾隨夏承燾、龍沐勛習古典詩詞，造詣精湛，然而却以散文飲譽文壇。她的散文，不論記載人、事、物，通常在平淡無奇中寓含至理，在清淡樸實中見出秀美；最難得的是她對宇宙萬物有著一份悲憫的觀照，所以常在處理一些小人物和小事物中，組織成一片有情世界。曾出版有「煙愁」、「琦君小品」、「紅紗燈」、「三更有夢書當枕」、「細雨燈花落」、「千里懷人月在峯」、「與我同車」、「留予他年說夢痕」、「燈景舊情懷」等書。

【題解】

本課選自「三更有夢書當枕」（六十四年版）散文集，僅節錄作者在杭州讀中學的一段，但是已經把她成長的過程中所面臨的困境與解決之道明顯地呈現出來，提供給青年朋友當作借鏡了。文中，去了一層讀古書的壓迫感之後，反而對古書起了好感；涉獵了許多小說和散文後，也嘗試著去創作；想探討人生問題，心性問題，而陷入苦悶之中；以及經過王老師的開導指點，心胸豁然開朗等等現象，固然是作者的經驗之談，但同時也牽涉到學習心理、心理輔導、教學方法等方面的問題，很值得師生一起關注和探討。

【本文】

我到杭州考取中學以後，吃齋唸佛的老師覺得心願已了，就出家當和尚去了。我心頭去了一層讀古書的壓迫感，反而對古書起了好感，寒暑假，就在父親書櫥中，隨意取出一本線裝書來翻翻，聞到那股樟腦味，很思念老師。父親要我有系統地讀四史，古文辭類纂(1)和十八家詩鈔(2)，由他選了給我讀，可是我只能按着自己的興趣背誦，父親有點失望，他說我將來絕不是個做學問的人，這一點是不幸而言中了。

從學校圖書館中，我借來很多小說和散文，尤其是翻譯小說。父親對朱自清、俞平伯(3)的文章很欣賞，可是小說仍不贊成我多看。我倒也用不着像小時候那麼躲着他偷看。那時中學課業不像現在繁重，課餘有的是時間，我看了巴金(4)、老舍(5)、茅盾(6)等人的小說。西洋小說中，我最愛羅曼羅蘭的「約翰克利斯多夫」(7)，反覆看了好幾遍；奥爾柯德(8)的小婦人是當英文課本念的，我們又指定看好妻子，小男兒的原文，因爲文字較淺。其他如簡愛(9)，傲慢與偏見(10)，悲慘世界(11)，亦使我愛不釋手，尤其是小婦人和簡愛。我當時曾感到寫小說並不難，只要有一顆充滿了「愛」的心。記得當時還摩仿各家筆法，寫了一個中篇小說「三姐妹」，大姐憂鬱如林黛玉，日記都是文言文的，二姐是叛逆女性，三妹天眞無邪，寫得情文並茂，自謂融紅樓夢，小婦人和海濱故人(12)於一爐，此文如在，倒是我眞正的處女作呢。

二姨太向我借去茶花女(13)和廬隱的「象牙戒指」，又一句句的唸出聲來，唸完了偏又說「如今的新派小說眞囉嗦，形容句子一大堆，又沒個回目。」這麼說着，却又向我再借，有時還看得眼圈兒紅紅的。在看小說上，我們倒成了朋友，我把這話告訴母親，母親深陷的眼神定定的看着我半晌說：「你們彼此能談得來，我也放心不少。」母親臉上表情很複雜，好像欣慰，又好像失落了甚麼。我心裏很難過，我覺得聖賢書和羅曼蒂克的愛情至上主義很難協調，因此我把紅樓夢看了又看，覺得書中人個個值得同情。對自己的家庭，我也作如是觀，因此我一時豁達，一時矛盾，一時同情母親，一時同情二姨太。後來讀了王國維⒁的紅樓夢評論，好像又進入另一種境界，想探討人生問題，心性問題。

教我國文的王老師叫我看宋儒學案⒂，王陽明傳習錄⒃，胡適中國哲學史大綱，可是對我來說，這些書都太深了，倒是傳習錄平易近人。那時啓發心智的書不及現在這麼豐碩，我本是個不喜愛看理論書的人。父親恨不得我把家中藏書都讀了，我却毫無頭緒地東翻翻西摸摸，先讀莊子，讀不懂了放下來再抽出楚辭來唸，唸着離騷和九歌時，不禁學着家庭老師淒愴的音調低聲吟誦起來，熱淚涔涔而下，覺得人生會少離多，十分悲苦，心中腦中一團亂絲理不清。

我寫信給故鄉的二叔和肫肝叔，他們的回信各不相同，二叔勸我讀唐詩宋詞，寄給我一本納蘭的飲水詞⒄，吳蘋香的「香南雪北廬」詞⒅與李清照的漱玉詞，叫我細讀，他說詩詞是圖畫的，音樂的，哲學的，多讀了對一切自能融會貫通；肫肝叔却叫我讀莊子，讀佛經，他介紹我看景德傳燈錄⒆，佛說四十二章經⒇，心經淺說㉑。那陣子，我變得痴痴呆呆的，無限虛無感、孤獨感，覺得自己是個哲人，沒有人了解我。

王老師發現我在鑽牛角尖，叫我暫時放下所有的書本，連小說也別看，撒開的玩。

他時常帶我們作湖濱散步，西湖風光四時不同，每處景物都有歷史掌故，他風趣的講解和爽朗的笑聲，使我心胸開朗了不少。他說讀書、交朋友、遊山玩水三者應融爲一體，才是完整的人生，所謂人生哲學當在日常生活中去體會尋求，不要爲空洞的理論所困擾；他說「三更有夢書當枕，千里懷人月在峯」(22)就是三者合一的境界。高中三年中，王老師對我的啓廸很多。他指導我速讀和精讀的方式，如何作筆記，如何背誦，如何捕捉寫作的靈感。我漸漸感到生命很充實，自己在成長，成長中，大自然、朋友、書本是最好的伴侶。

父親愛讀書、藏書，也愛搜集版本、碑帖(23)和名家字畫。杭州住宅書房中，有日本影印大藏經(24)，四史精華，四庫全書珍本，三希堂(25)，淳化閣法帖(26)，和許多善本名家詩文集。父親每年夏天都去別墅雲居山莊避暑，所以山上也有一部份他自己特別喜愛的書。放暑假後，我就上山陪他散步讀書。別墅是三間樸素的小平房，繞屋是葱籠的細竹。四周十餘畝空地一半是果園，一半種山薯玉蜀黍。山頂有一座小小茅亭，每天清晨我們在亭中行深呼吸，東方彩霞映照着煙波飄渺的錢塘江(27)，左邊是沉睡的西子湖(28)。父親晚年懷着逃世的心情上山靜養。勉勵我要好好利用藏書，愛惜藏書，不要學不肖子弟，把先人藏書字畫都賣了。父親說這話是很沉痛的，因為我是長女，妹妹才五歲，家中沒有應門五尺的男童。所以我當時曾立誓要保存父親在杭州和故鄉兩地的全部藏書。沒想到抗戰軍興，父親帶了全家回故鄉，杭州淪於敵手，全部書畫就無法照顧了。（後略）

【注釋】

(1)古文辭類纂——書名，共七十五卷，清姚鼐編。輯戰國以迄清代文章，分為論辨、序跋、奏議、書說、贈序、詔令、傳狀、碑誌、雜記、箴銘、頌贊、辭賦、哀祭十三類。每類冠以小序，具述文體源流。所選錄文章，以謹嚴著稱。

(2)十八家詩鈔——書名，共二十八卷，清曾國藩輯。所錄自曹子建以下至唐宋共十八家，古近體詩，共六千五百九十九首，分五古、七古、五律、七律、七絕五類。選擇謹嚴，為詩籍善本。

(3)俞平伯——原名銘衡，浙江德清人。生於清德宗光緒二十五年（西元一八九九年），畢業於北京大學文科，曾赴歐洲留學，返國後歷任燕京、北京、清華等大學教授。他對舊詩詞的功力很深厚，也是新文學運動初期的重要詩人，後來致力於散文創作。

(4)巴金——原名李堯棠，四川成都市人。生於清光緒三十年（西元一九〇四年），曾於民國十六年到法國留學。大陸淪陷後，任偽「政務院文化教育委員會」委員、「人民代表大會」四川省代表，文革期間曾被勞改。

(5)老舍—原名舒慶春，清光緒二十五年（西元一八九九年）生於北平市。畢業於北京師範學校，歷任小學校長、中學教員、大學教授，後成爲專職作家。抗戰勝利後曾赴美講學。民國三十八年回大陸，後在文革期間被「紅衞兵」鬥死。

(6)茅盾—原名沈雁冰，浙江桐鄉人，生於清光緒二十三年（西元一八九六年）。北京大學肄業，曾任商務印書館、小說月報等編輯。爲一傑出的長篇小說家。

(7)羅曼句—羅曼羅蘭（Romain Rolland, 1866 — 1944 ）法國戲劇家兼小說家。主張人生藝術，認爲應憑藝術替人生謀向上之路。小說「約翰克利斯多夫」（Jean-Christophe），意在使人了解眞正的生命，而在人生道路中增多勇氣，英雄主義的色彩很濃厚。

(8)奧爾柯德—Louisa May Alcott（1832-1888）是美國女作家，以「小婦人」一書成名。

(9)簡愛—Jane Eyre，書名。是英國女小說家夏綠蒂勃朗黛（Charlotte Bronte, 1816-1855）的作品。

(10)傲慢與偏見—Pride and Prejudice，書名。是英國女小說家珍奧斯汀（Jane Austen, 1775-1817 ）的作品。

(11)悲慘世界—Les Miserables，書名。是法國詩人、戲劇家及小說家雨果（Victor Hugo, 1802-1885 ）的作品。

(12)海濱故人—是我國女作家廬隱（1899-1934）的中篇小說。

(13)茶花女—Le Dame Aus Camelias，書名。是法國戲劇家及小說家小仲馬（Alexandre Dumas, fils，1824-1895）的作品。

(14)王國維—見十四課。

(15)宋儒學案—應爲宋元學案。清黃宗羲撰，全祖望修，王梓才增補。這是敍述宋、元諸儒的師承派別的學術史。

(16)傳習錄—書名，凡二卷。記王守仁與門人弟子論學答問之語。

(17)飲水詞—是清滿洲正黃旗人納蘭性德（1655-1685）的詞集。

(18)吳頻香句—吳頻香，清文學家，本名藻，室名叫「香南雪北廬」。

(19)傳燈錄—書名，三十卷。宋眞宗景德元年，道原和尚把釋迦牟尼以來相傳的法脈有系統地記載下來，詳錄其法語，命名傳燈錄，也叫景德傳燈錄。

(20)四十二章經—佛經名。東漢迦葉摩騰、竺法蘭同譯。

(21)心經淺說—心經，般若波羅密多心經的簡稱。淺說，是後人所作的注解本。

(22)三更……在峯—此境比「讀萬卷書，行千里路」多一「友」。

(23)碑帖—碑刻、法帖的通稱。

(24)大藏經—漢譯佛教經典並東土高僧著作入藏者的總稱。

(25)三希堂——在清故宮養心殿。清高宗藏王羲之、王獻之、王珣墨蹟於此，自謂三希，因以名堂。三希堂法帖，就是此堂藏帖重刊者。

(26)淳化閣法帖——宋太宗淳化三年選漢張芝、崔瑗、魏鍾繇、晉王羲之……等墨蹟藏淳化閣，名淳化祕閣法帖。

(27)錢塘江——浙江流經杭縣城南，名叫錢塘江。

(28)西子湖——在浙江杭州市城西，也叫錢塘湖、明聖湖、金牛湖。蘇軾詩有「欲把西湖比西子」句，所以又名西子湖。

【討論】

一、作者的父親爲何說她不是做學問的人？當她坦承「不幸而言中」時的心理狀態是什麼？

二、當作者的母親得知作者和二姨太談得來時，爲何感到似欣慰又像失落了什麼？

三、作者本來書讀得好好的，後來心裏何以會混亂？

四、琦君寫信給故鄉的二叔和肫肝叔，他們分別要作者讀詩詞和莊子、佛經，這樣的建議你認爲如何？

五、王老師給作者的建議是什麼？你認爲如何？

一八　冬　夜

白先勇

【作者】

白先勇，廣西桂林人，生於民國二十六年（西元一九三七年）。
民國四十一年（西元一九五二年），十六歲，就讀建國中學，首次投稿野風雜誌。
民國四十六年（西元一九五七年），二十一歲，進臺灣大學讀外文系。
民國四十九年（西元一九六〇年），二十四歲，與同學歐陽子、王文興、陳若曦等創辦「現代文學」雜誌。
民國五十年（西元一九六一年），二十五歲，台大外文系畢業。
民國五十二年（西元一九六三年），二十七歲，入美國愛奧華大學創作班留學。
民國五十四年（西元一九六五年），二十九歲，獲碩士學位，任美國加州大學講師，在聖塔、巴巴拉分校教中國文學。
民國五十八年（西元一九六九年），三十三歲，創辦「晨鐘出版社」，出版創作及翻譯作品。
白先勇是當代中國極有才氣與成就的短篇小說家，他所創辦的「現代文學」，一面譯介現代西洋文學，一面鼓勵本國的新創作，對於中國現代文學的貢獻甚大。他的作品有謫仙記，遊園驚夢，台北人，孽子等。

【題解】

白先勇的「冬夜」，以寫實的手法，描述出身中國大陸的知識分子，在大陸淪陷來台後，二十年間的生活面貌。作者藉着陰雨的夜晚、跛腳的教授、襤褸的沙發，來表達知識分子的處境及心情。最爲諷刺的，當旅美學人感到空虛而要歸國做事時，國內的教授却請託他在美國找個教書的職位，甚至都可以「教教中文什麽的」。當年憂國憂民，投身五四運動的青年學生，如今卻充滿矛盾的心情；究竟該向那裏走？「在昏黯的燈光下，他翻了兩頁，眼睛便合上了。」余教授顯然找不出答案。也許，他那滿頭黑髮，手捧一疊書，一心想到美國念理工的兒子，或兒子的兒子才可解答吧！

【本文】

臺北的冬夜，經常是下着冷雨的。傍晚時分，一陣乍寒，雨，又淅淅瀝瀝開始落下來了。溫州街的那些巷子裏，早已冒起寸把厚的積水來。余嶔磊教授走到巷子口去張望時，脚下套着一雙木屐。他撐着一把油紙傘，紙傘破了一個大洞，雨點漏下來，打到余教授十分光禿的頭上，冷的他不由得縮起脖子打了一個寒噤。他身上罩着的那襲又厚又重的舊棉袍，竟也敵不住臺北冬夜那陣陰濕砭骨的寒意了。

巷子裏灰濛濛的一片，一個人影也沒有，四週沉靜，只有雨點灑在遠遠近近那些矮屋的瓦簷上，發出一陣沙沙的微響。余教授在冷雨中，撐着他那把破紙傘，竚立了片刻，終於又趦回到他巷子裏的家中去。他的右腿跛瘸，穿着木屐，走一步，拐一下，十分蹣跚。

余教授棲住的這棟房子，跟巷中其他那些大學宿舍一樣，都是日據時代留下來的舊屋。年久失修，屋簷門窗早已殘破不堪，客廳的地板，仍舊鋪着榻榻米，積年的潮濕，蓆墊上一逕散着一股腐草的霉味。客廳裏的家具很簡陋：一張書桌、一張茶几、一對褴褸的沙發，破得肚子統統暴出了棉絮來。桌上、椅上、榻榻米上，七横八豎，堆滿了一本本舊洋裝書，有的脫了線，有的發了毛，許多本却脫得身首異處，還有幾本租來的牛皮紙封面武俠小說，也參雜其中。自從余教授對他太太着實發過一次脾氣以後，他家裏的人，再也不敢碰他客廳裏那些堆積如山的書了。有一次，他太太替他曬書，把他夾在一本牛津版的拜侖詩集中，一疊筆記弄丟了——那些筆記，是他二十多年前，在北京大學教書的時候，記下來的心得。

余教授走進客廳裏，在一張破沙發上坐了下來，微微喘着氣。他用手在他右腿的關節上，使勁的揉搓了幾下。每逢這種陰濕天，他那隻撞傷過的右腿，便隱隱作痛起來，下午他太太到隔壁蕭教授家中去打麻將以前，還囑咐過他：

「別忘了，把于善堂那張膏藥貼起來。」

「晚上早點回來好嗎？」他要求他太太，「吳柱國要來。」

「吳柱國又有什麼不得了？你一個人陪他還不夠？」他太太用手絹子包起一紮鈔票，說着便走出大門去了，那時他手中正捏着一張中央日報，他想阻住他太太，指給她看，報上登着吳柱國那張照片：「我旅美學人，國際歷史權威，吳柱國教授，昨在中央研究院，作學術演講，與會學者名流共百多人。」可是他太太老早三脚兩步，跑到隔壁去了。他目送着他太太那肥胖碩大的背影，突然起了一陣無可奈何的惆悵。隔壁蕭太太二四六的牌局，他太太從來沒缺過席，他一講她，她便封住他的嘴：別搗蛋，老頭子，我去贏個百把塊錢，買隻鷄來燉給你吃。他對他太太又不能經濟封鎖，因爲他太太總是贏的，自己有私房錢。他跟他太太商量，想接吳柱國到家裏來吃餐便飯，一開口便讓他太太否決了。要是雅馨還在，晚上他一定會親自下厨去做出一桌子吳柱國愛吃的菜來，替他接風了。那次在北平替吳柱國餞行，吳柱國吃得酒酣耳熱，對雅馨說：「雅馨，明年回國再來吃你做的掛爐鴨。」那曉得第二年北平便陷落了，吳柱國一出去便是二十年。那天在松山機場見到他，許多政府官員，報社記者，還有一大羣閒人，把吳柱國圍得水泄不通，他自己却被人羣擯在外面，連跟吳柱國打招呼的機會都沒有。那天吳柱國穿着一件黑呢大衣，戴着一付銀絲邊的眼鏡，一頭頭髮白得雪亮了；他手上持着煙斗，從容不迫，應對那些記者的訪問。他那份恂恂儒雅，那份令人肅然起敬的學者風致，好像隨着歲月，變得愈更醇厚了一般。後來還是吳柱國在人羣中發現了他，才擠過來，執着他的手，在他耳邊悄悄說道：

「還是過兩天，我來看你吧。」

「欽磊——」

余教授猛然立起身來，蹭着迎過去，吳柱國已經走上玄關來了。

「我剛才還到巷子口去等你，怕你找不到，」余教授蹲下身去，在玄關的矮櫃裏摸索了一陣，才掣出一雙草拖鞋來，給吳柱國換上，有一隻却破得張開了口。

「臺北這些巷子眞的像迷宮，」吳柱國笑道，「比北平那些胡同還要亂多了。」他的頭髮淋得濕透，眼鏡上都是水珠。他脫下大衣，抖了兩下，交給余教授，他裏面却穿着一件中國絲棉短襖。他坐下來時，忙掏出手帕，把頭上臉上揩拭了一番，他那一頭雪白的銀髮，都讓他揩得蓬鬆零亂起來。

「我早就想去接你來的，」余教授將自己使用的那隻保暖杯拿出來泡了一杯龍井擱在吳柱國面前，他還記得吳柱國是不喝紅茶的，「看你這幾天那麼忙，我也就不趁熱鬧了。」

「我們中國人還是那麼喜歡應酬，」吳柱國搖着頭笑道，「這幾天，天天有人請吃酒席，十幾道十幾道的菜——」

「你再住下去，恐怕你的老胃病又要吃翻了呢，」余教授在吳柱國對面坐下來，笑道。

「可不是？我已經吃不消了！今晚邵子奇請客，我根本沒有下筯——邵子奇告訴我，他也有好幾年沒見到你了。你們兩人——」吳柱國望着余教授，余教授摸了一摸他那光的禿頭，輕輕吁了一口氣，笑道：

「他正在做官，又是個忙人。我們見了面，也沒有甚麼話說。我又不會講虛套，何況對他呢？所以還是不見面的好。你是記得的：我們當年參加『新潮社』，頭一條誓言是甚麼？」

吳柱國笑一笑了，答道：

「『二十年不做官』」

「那天宣誓，還是邵子奇帶頭宣讀的呢！當然，當然，二十年的期限，早已過了————」余教授和吳柱國同時都笑了起來。吳柱國捧起那盅龍井，吹開浮面的茶葉，啜了一口，茶水的熱氣，把他的眼鏡片蒸得模糊了。他除下眼鏡，一面擦着，一面覷起眼睛，若有所思的嘆了一口氣，說道：

「這次回來，『新潮社』的老朋友，多半不在了——」

「賈宜生是上個月去世的，」余教授答道，「他的結局很悲慘。」

「我在國外報上看到了，登得並不清楚。」

「很悲慘的——」余教授又喃喃的加了一句。

「他去世的前一天我還在學校看到他，他的脖子硬了，嘴巴也歪了——上半年他摔過一交，摔破了血管——我看見他氣色很不好，勸他回家休息，他只苦笑了一下。我知道，他的環境困得厲害，太太又病在醫院裏。那晚他還去兼夜課，到了學校門口，一交滑在陰溝裏。便完了——」余教授攤開雙手，乾笑了一聲，「賈宜生，就這麼完了。」

「眞是的——」吳柱國含糊應道。

「我髣髴聽說陸冲也亡故了，你在外國大概知道得清楚些。」

「陸冲的結局，我早料到了，」吳柱國嘆道，「共產黨『百花齊放』，北大學生清算陸冲，說他那本『中國哲學史』爲孔教作倀，要他寫悔過書認錯。陸冲的性格還受得了？當場在北大便跳了樓。」

「好！好！」余教授突然奮亢了起來，在大腿上猛拍了兩下，「好個陸冲，我佩服他，他不愧是個弘毅之士！」

「只是人生的諷刺也未免太大了，」吳柱國唏噓道，「當年陸冲還是個打倒『孔家店』的人物呢？」

「何嘗不是？」余教授也莫奈何的笑了一下，「就拿這幾個人來說：邵子奇、賈宜生、陸冲、你、我，還有我們那位給槍斃了的日本大漢奸陳雄——當年我們幾個人在北大，一起說過些甚麼話？」

吳柱國掏出煙斗，點上煙，深深吸了一口，吁着煙，若有所思的沉默了片刻，突然他搖着頭笑出了聲音來，歪過身去對余教授說道：

「你知道，嶔磊，我在國外大學開課，大多止於唐宋，民國史我是從來不開的。上學期，我在加州大學開了一門『唐代政治制度』。這陣子，美國大學的學潮鬧得厲害，加大的學生更不得了，他們把學校的房子也燒掉了，校長攆走了，教授也打跑了。他們那麼胡鬧，我實在看不慣。有一天下午，我在講『唐初的科舉制度』，學校裏，學生正在跟警察大打出手，到處放瓦斯，簡直不像話！你想想，那種情形，我在講第七世紀中國的考試制度，那些蓬頭赤足，躍躍欲試的美國學生，怎麼聽得進去？他們坐在教室裏，眼睛都瞅着窗外。我便放下了書，對他們說道：『你們這樣就算鬧學潮了嗎？四十多年前，中國學生在北京鬧學潮，比你們還要兇百十倍呢！』他們頓時動容起來，臉上一付懷疑的神情，好像說：『中國學生也會鬧學潮嗎？——』」吳柱國和余教授同時都笑了起來。

「於是我便對他們說道：『一九一九年五月四日，一羣北京大學領頭的學生，爲了反日本，打倒一個賣國求榮的政府官員家裏，燒掉了他的房子，把躲在裏面的一個駐日公使，揪了出來，痛揍一頓——』那些美國學生聽得肅然起敬起來，他們口口聲聲反越戰，到底還不敢去燒他們的五角大廈呢。『後來這批學生都下了獄，被關在北京大學的法學院內，一共有一千多人——』我看見他們聽得全神貫注了，我才慢慢說道，『下監那羣學生當中，領頭打駐日公使的，便是我。』他們閧堂大笑起來，頓足的頓足，拍手的拍手，外面警察放槍他們也聽不見了——」余教授笑得一顆光禿的頭顱前後亂晃起來。

「他們都搶着問，我們當時怎麼打趙家樓的，我跟他們說，我們是疊羅漢爬進曹汝霖家裏去的。第一個爬進去的那個學生，把鞋子擠掉了，打着一雙赤足，滿院子亂跑，一邊放火。『那個學生現在在那裏？』他們齊聲問道。我說：『他在臺灣大學教書，教拜命。』那些美國學生一個個都笑得樂不可支起來——」

余教授那張皺紋滿佈的臉上，突然一紅，綻開了一個近乎童稚的笑容來，他訕訕的咧着嘴，低下頭去瞅了一下他那一雙腳，他沒有穿拖鞋，一雙粗絨線襪，後跟打了兩個黑布補訂，他不由主的將一雙腳合攏在一起，搓了兩下。

「我告訴他們：我們關在學校裏，有好多女學生來慰問，一個女師大的校花，還跟那位打赤足放火的朋友結成了姻緣，他們兩人，是當時中國的羅密歐與朱麗葉——」

「柱國，你眞會開玩笑，」余教授一面撫摸着他那光禿的頭頂，不勝唏噓的笑道。

他看見吳柱國那杯茶已經涼了，便立起身，一拐一拐的，去拿了一隻暖水壺來，替吳柱國斟上滾水，一面反問他：

「你爲甚麼不告訴你學生？那天領隊遊行扛大旗的那個學生，跟警察打架，把眼鏡也打掉了？」

吳柱國也訕訕的笑了起來。

「我倒是跟他們提起：賈宜生割開手指，在牆上寫下了『還我青島』的血書，陳雄却穿了喪服，舉着『曹陸章遺臭萬年』的輓聯，在街上遊行——」

「賈宜生——他倒是一直想做一番事業的——」余教授坐下來，喟然嘆道。

「不知他那本『中國思想史』寫完了沒有？」吳柱國關懷的問道。

「我正在替他整理，才寫到宋明理學，而且——」余教授皺起眉頭說，「最後幾章太潦草，他的思想大不如從前那樣敏銳過人了，現在我還沒找到人替他出版呢。連他的安葬費還是我們這幾個老朋友拚湊的。」

「哦？」吳柱國驚異道，「他竟是這樣的——」

余教授和吳柱國相對坐着，漸漸默然起來。吳柱國兩隻手伸到袖管裏去，余教授却輕輕的在敲着他那隻僵痛的右腿。

「柱國——」過了半晌，余教授抬起頭來望着吳柱國說道，「我們這夥人，總算你最有成就。」

「我最有成就？」吳柱國驚愕的抬起頭來。

「眞的，柱國，」余教授的聲音變得有點激動起來，「這些年，我一事無成。每次在報紙上看見你揚名國外的消息，我就不禁又感慨，又欣慰，至少還有你一個人在學術界替我們爭一口氣——」余教授說着，禁不住伸過手去，捏了一下吳柱國的膀子。

「欽磊——」吳柱國突然掙開余教授的手叫道，余教授發覺他的聲音裏竟充滿了痛苦，「你這樣說，更是叫我無地自容了！」

「柱國？」余教授縮回手，喃喃喚道。

「欽磊，我告訴你一件事，你就懂得這些年我在國外的心情了，」吳柱國卸下了他那副銀絲邊的眼鏡，用手捏他那緊皺的眉心，「這些年，我都是在世界各地演講開會度過去的，看起來熱鬧得很。上年東方歷史學會在舊金山開會，我參加的那一組，有一個哈佛大學剛畢業的美國學生，宣讀他一篇論文，題目是：『五四運動的重新估價』。那個小夥子一上來便把『五四』批評得體無完膚，然後振振有詞的結論道：『這批狂熱的中國知識青年，在一陣反傳統，打倒偶像的運動中，將在中國實行了二千多年的孔制徹底推翻。這些青年，昧於中國國情，盲目崇拜西方文化，迷信西方民族，造成了中國思想界空前的大混亂。但是這批在父權中心社會成長的青年，既沒有獨立的思想體系，又沒有堅定的意志力，當孔制傳統一旦崩潰，他們頓時便失去了精神的依賴，於是彷徨、迷失，如同一羣弑父的逆子——他們打倒了他們的精神之父，孔子——背負着重大的罪孽，開始了他們精神上的自我放逐：有的投入極權懷抱，有的重新回頭擁抱他們早已殘破不堪的傳統，有的奔逃海外，做了明哲保身的隱士。他們的運動瓦解了，變質了。有些中國學者把『五四』比作中國的『文藝復興』，我認爲，這只能算是一個流產了的『文藝復興』』他一唸完，大家都很激動，尤其是幾個中國教授和學生，目光一齊投向我，以爲我一定會起來發言。可是我一句話也沒有說，默默的離開了會場——」

「噢，柱國——」

「那個小夥子有些立論是不難辯倒的，可是，欽磊——」吳柱國的聲音都有些哽住了，他乾笑了一聲，「你想想看，我在國外做了幾十年的逃兵，在那種場合，還有甚麼臉面挺身出來，爲『五四』講話呢？所以這些年在外國，我總不願意講民國史，那次在加大提到『五四』，還是看見他們學生學潮鬧得熱鬧，引起我的話題來——也不過是逗着他們玩玩，當笑話講罷了。我們過去的光榮，到底容易講些，我可以毫不汗顏的對我的外國學生說：『李唐王朝，造就了當時世界上最強盛，文化最燦爛的大帝國。』——我就是這樣在外國喊幾十年，有時也不禁好笑，覺得自己眞是像唐玄宗的白髮宮女，拚命在向外國人吹噓天寶遺事了——」

「可是柱國，你寫了那麼多的著作！」余教授幾乎抗議的截斷吳柱國的話。

「我寫了十幾本書：『唐代宰相的職權』，『唐末藩鎭制度』，我還寫過一本小册子叫『唐明皇的梨園子弟』，一共一百多萬字——都是空話啊——」吳柱國搖着手喊道，然後他又冷笑了一聲，「那些書堆在圖書館裏，大概只有修博士的美國學生，才會去翻翻罷了。」

「柱國，你的茶涼了，我給你去換一杯來，」余教授立起身來，吳柱國一把執住他的手，抬起頭望着他說道：

「欽磊，我對你講老實話：我寫那些書，完全是爲了應付美國大學，不出版著作，他們便要解聘，所以隔兩年，我便擠出一本來，如果不必出版著作，我是一本也不會寫的。」

「我給你去弄杯熱茶來。」余教授喃喃的重複道，他看見吳柱國那張文雅的臉上，微微起着痙攣。他蹭到客廳一角的案邊，將吳柱國那杯涼茶倒進痰盂裏，重新沏上一杯龍井，他手捧着那隻保暖杯，十分吃力的拐回到座位上去，他覺得他那隻右腿，坐久了，愈來愈僵硬，一陣陣的痲痛，從骨節裏滲出來。他坐下後，又禁不住用手去捏擠了一下。

「你的腿好像傷得不輕呢，」吳柱國接過熱茶去，關注着余教授說道。

「那次給撞傷，總也沒好過，還沒殘廢，已是萬幸了。」余教授解嘲一般笑道。

「你去徹底治療過沒有？」

「別提了，」余教授擺手道，「我在臺大醫院住了五個月，他們又給我開刀，又給我電療。東搞西搞，愈搞愈糟，索性癱掉了。我太太也不顧我反對，不知那裏弄了一個打針灸的郎中來，戳了幾下，居然能下地走動了！」余教授說着，很無可奈何的攤開手笑了起來，「我看我們中國人的毛病，也特別古怪些，有時候，洋法子未必奏效，還得弄帖土藥秘方來治一治，像打金針，亂戳一下，作興還戳中了機關——」說着，吳柱國也跟着搖搖頭，很無奈的笑了起來，跟着他伸過手去，輕輕拍了一下余教授那條僵痛的右腿，說道：

「你不知道，嶔磊，我在國外，一想到你和賈宜生，就不禁覺得內愧。生活那麼清苦，你們還能在國內守在教育的崗位上，教導我們自己的青年——」吳柱國說着，聲音都微微顫抖了，他又輕輕的拍了余教授一下。

「嶔磊，你眞不容易——」

余教授默默的望着吳柱國，半晌沒有作聲，他搔了一搔他那光禿的頭頂，笑道：

「現在我教的，都是些女學生，上學期，一個男生也沒有了。」

「你教『浪漫文學』，女孩子自然是喜歡的。」吳柱國笑着替余教授解說道。

「有一個女學生問我：『拜侖眞的那樣漂亮嗎？』，我告訴她：『拜侖是個跛子，恐怕跛得比我還要厲害哩。』，那個女孩子頓時一臉痛苦不堪的樣子，我只得安慰她：『拜侖的臉蛋兒還是十分英俊的』——」余教授和吳柱國同時笑了起來。「上學期大考，我出了一個題目要她們論：『拜侖的浪漫精神』，有一個女孩子寫下了一大堆拜侖情婦的名字，連他的妹妹 Augusta 也寫上去了！」

「教教女學生也很有意思的，」吳柱國笑得低下頭去，「你譯的那部拜侖詩集，在這裏一定很暢銷了？」

「『拜侖詩集』我並沒有譯完。」

「哦——」

「其實只還差『Don Juan』最後幾章，這七，八年我沒譯過一個字，就是把拜侖譯出來，恐怕現在也不會有多少人看了——」余教授頗爲落寞了的嘆了一口氣，定定的注視着吳柱國，「柱國，這些年，我並沒有你想像那樣，我並沒有想『守住崗位』，這些年，我一直在設法出國——」

「欽磊——你——」

「我不但想出國，而且還用盡了手段去爭取機會。每一年，我一打聽到我們文學院有外國贈送的獎金，我總是搶先去申請。前五年，我好不容易爭到一個哈佛大學給的福特獎金，去研究兩年，每年有八千多美金。出國手續我全部都辦妥了，那天我到美國領事館去簽證，領事還跟我握手道賀。那曉得一出領事館門口，一個臺大學生騎着一輛機器脚踏車過來，一撞，便把我的腿撞斷了。」

「哎，欽磊，」吳柱國曖昧的嘆道。

「我病在醫院裏，應該馬上宣佈放棄那項獎金的，可是我沒有，我寫信給哈佛，說我的腿只受了外傷，治癒後馬上出去。我在醫院裏躺了五個月，哈佛便取消了那項獎金。要是我早讓出來，也許賈宜生便得到了——」

「賈宜生嗎？」吳柱國驚嘆道。

「賈宜生也申請了的，所以他過世，我特別難過，覺得對不起他。要是他得到那項獎金，能到美國去，也許就不會病死了。他過世，我到處奔走替他去籌治喪費及撫卹金，他太太也病得很厲害。我寫信給邵子奇，邵子奇派了一個人，只送了一千塊臺幣來——」

「唉，唉」吳柱國連聲嘆道。

「可是柱國，」余教授愀然望着吳柱國，「我自己實在很需要那筆獎金。雅馨去世的時候，我的兩個兒子都很小，雅馨臨終要我答應，一定撫養他們成人，給他們受最好的教育。我的大兒子出國學工程，沒有申請到獎學金，我替他籌了一筆錢，數目相當可觀，我還了好幾年都還不清。所以我那時想，要是我得到那筆獎金，在國外省用一點，就可以償清我的債務了。沒想到——」余教授聳了一聳肩膀，乾笑了兩聲。吳柱國舉起手來，想說甚麼，可是他嘴唇動了一下，又默然了。過了片刻，他才強笑道：

「雅馨——她眞是一個叫人懷念的女人。」

窗外的雨聲，颯颯娑娑，愈來愈大了，寒氣不住的從門隙窗縫裏鑽了進來，一陣大門開闔的聲音，一個青年男人從玄關走了上來。青年的身材頎長，披着一件深藍的塑膠雨衣，一頭墨濃的頭髮洒滿了雨珠，他手中捧着一大叠書本，含笑點頭，便要往房中走去。「俊彥，你來見見吳伯伯，」余教授叫住那個青年。吳柱國朝那個眉目異常英爽的青年打量了一下，不由得笑出了聲音來。

「欽磊，你們兩父子怎麼——」吳柱國朝着俊彥又指了一下，笑道，「俊彥，要是我來你家，先看到你，一定還以爲你父親還老還童了呢！欽磊，你在北大的時候，就是俊彥這個樣子！」說着三個人都笑了起來。

「吳伯伯在加大教書，你不是想到加大去唸書嗎？可以向吳伯伯請教請教，」余教授對他兒子說道。

「吳伯伯，加大物理系容易申請獎學金嗎？」俊彥很感興趣的問道。

「這個——」吳柱國遲疑了一下「我不太清楚，不過加大理工科的獎學金比文法科多多了。」

「我聽說加大物理系做一個實驗，常常要花上一百萬美金呢！」俊彥年輕的臉上，現出一付驚羨的神情。

「美國實在是個富強的國家，」吳柱國嘆道。俊彥立了一會兒，便告退了。余教授望着他兒子的背影，悄聲說道：

「現在男孩子，都想到國外去學理工。」

「這也是大勢所趨，」吳柱國應道。

「從前我們不是拚命提倡『賽先生』嗎？現在『賽先生』差點把我們的飯碗都搶跑了，」余教授說着跟吳柱國兩人都無奈的笑了起來。余教授立起身，又要去替吳柱國斟茶，吳柱國忙止住他，也站了起來說道：

「明天一早我還要到南港中央研究院去演講，我還是早點回去休息吧。」說着，他沉吟了一下，「後天我便要飛西德，去參加一個漢學會議，你不要來送我了，我這就算告辭了吧。」

余教授把吳柱國的大衣取來遞給他，有點歉然的說道：

「眞是的，你回來一趟，連便飯也沒接你來吃。我現在這位太太——」余教授尷尬的笑了一下。

「嫂夫人那裏去了？我還忘了問你，」吳柱國馬上接口道。

「她在隔壁，」余教授有點忸怩起來，「在打麻將。」

「哦，那麼你便替我問候一聲吧。」吳柱國說着便走向了大門去。余教授仍舊套上他的木屐，撐起他那把破油紙傘，跟了出去。

「不要出來了，你走路又不方便，」吳柱國止住余教授。

「你沒戴帽子，我送你一程，」余教授將他那把破紙傘遮住了吳柱國的頭頂，一隻手攬在他的肩上，兩個人向巷口走了出去。巷子裏一片漆黑，雨點無邊無盡的飄洒着。余教授和吳柱國兩人依在一起，踏着巷子裏的積水，一步一步，遲緩、蹣跚、蹭蹬着。快到巷口的時候，吳柱國幽幽的說道：

「欽磊，再過一陣子，也許我也要回國來了。」

「你要回來？」

「還有兩年我便退休了。」

「是嗎？」

「我現在一個人在那邊，穎芬不在了，飲食很不方便，胃病常常翻，而且——我又沒有兒女。」

「哦——」

「我看南港那一帶還很幽靜，中央研究院又在那裏。」

「南港住家是不錯的。」

雨點從紙傘的破洞漏了下來，打在余教授和吳柱國的臉上，兩個人都冷得縮起了脖子來。一輛計程車駛過巷口，余教授馬上舉手截下。計程車司機打開了門，余教授伸出手去跟吳柱國握手道別，他執住吳柱國的手，突然聲音微微顫抖的說道：「柱國，有一件事，我一直不好意思向你開口——」

「嗯？」

「你可不可以替我推薦一下，美國有甚麼大學要請人教書，我還是想出去教兩年。」

「可是——恐怕他們不會請中國人教英國文學哩。」

「當然，當然，」余教授咳了一下，乾笑道，「我不會到美國去教拜倫了——我是說有學校需要人教教中文什麼的。」

「哦——」吳柱國遲疑了一下，說道，「好的，我替你去試試吧。」

吳柱國坐進車內，又伸出手來跟余教授緊緊握了一下。當余教授趕回家中，他的長袍下擺都已經潮濕了，冷冰冰的貼在他的腿脛上，他右腿的關節，開始劇痛起來。他拐到厨房裏，把煖在爐灶上那帖于善堂的膏藥，取下來，熱烘烘的便貼到了膝蓋上去。他回到客廳中，發覺靠近書桌的那扇窗戶，讓風吹開了，來回開闔，發出砰砰的響聲。他趕忙蹭過去，將那扇窗拴上。他從窗縫中，看到他兒子房中的燈光仍然亮着，俊彥坐在窗前，低着頭在看書，他那年輕英爽的側影，映在窗框裏。余教授微微吃了一驚，他好像驟然又看到了自己年輕時的影子一般，他已經逐漸忘懷了他年輕時的模樣了。他記得就是在俊彥那個年紀，二十二歲，他認識雅馨的。那次他們在北海公園，雅馨剛剪掉辮子，一頭秀髮讓風吹得飛了起來，她穿着一條深藍的學生裙站在北海邊，裙子飄飄的，西天的晚霞，把一湖的水照得火燒一般，把她的臉也染紅了。他在「新潮」上投了一首新詩，就是獻給雅馨的：

當你倚在碧波上

滿天的紅霞
便化做了朵朵蓮花
托着你
隨風飄去，
馨馨
你是凌波仙子

———

余教授搖了一搖他那十分光禿的腦袋，有點不好意思的笑了起來。他發覺書桌上早飄進了雨水，把他堆在上面的書本都打潮了。他用他的衣袖在那些書本的封面上揩了一揩，隨便拾起一本「柳湖俠隱記」來，又坐到沙發上去。在昏黯的燈光下，他翻了兩頁，眼睛便合上了，頭垂下去，開始一點一點的，打起盹來，矇朧中，他聽到隔壁隱約傳來一陣陣洗牌的聲音及女人的笑語。

臺北的冬夜愈來愈深了，窗外的冷雨，却仍舊綿綿不絕的下着。

【結構】

請簡要說明下列人物過去與現在的處境或心情

	過去	現在
余歆磊		
吳柱國		
邵子奇		
賈宜生		
陸冲		

【討論】

一、本篇小說反映了知識分子那些問題？

二、你對當代出國留學的看法如何？

一九　鐘聲的召喚

陳之藩

【作者】

陳之藩，河北人，民國十四年生。

民國三十五年，二十二歲，國立北洋大學電機係畢業。

民國三十八年，隨政府來台，曾在國立編譯館工作，譯了很多自然科學方面的書，可是他對文學及哲學有濃厚的興趣。

民國四十二年，赴美普林斯頓大學就讀，獲碩士學位後，留在美國教書。

民國五十九年，赴英國劍橋大學就讀，獲博士學位，先後任教於美國休士頓大學及香港中文大學。

陳之藩的作品有旅美小簡、在春風裡、劍河倒影、蔚藍的天等，深受讀者歡迎。

【題解】

本文選自旅美小簡，作者由教堂的鐘聲，聯想到宗教僅在人們心目中的不同地位，並以自己的經驗，來說明宗教的價值。

【本文】

每到星期日早晨，整個美國改換了樣子，喧嘩市街，安靜的不見一人，人呢？都到教堂去了。美國人如果聽到鐘聲而不去教堂，他們會不安，好像作了虧心事。到教堂作什麼去呢？聽罵。牧師或神父們在罵下面的這一羣人，不是罵自私，就是罵驕傲，使臺下的人抬不起頭來，有的甚至哭泣；早晨走進教堂時，好像自己是個汚穢不堪的人，出來的時候，覺得已淸滌了自己。每隔七天，有這麼一次。

我曾問一個美國同學：「你們爲什麼這樣篤信宗教？」他答說：「我倒要反問你爲什麼不信了。」

的確，我找不出我不信宗教的理由，如果有，大概也是聽別人宣傳的。比如，有人說：「宗教是鴉片。」有人說：「宗教是中世紀的尾巴，用宗教救社會是開倒車。」有人把牧師與和尚當成社會的寄生蟲，有人把歐洲有一段時期叫做黑暗時代；有人主張以美育代宗教，有人主張以科學代宗教。

年歲長些，思想逐漸不敢生吞活剝。我慢慢覺悟到宗教不是上面那些人所說的那麼簡單的事。

人世有許多問題，是有史以來從未得過解決的，這個解決，在未來也毫無希望。什麼問題呢？就是吵嚷已久的那兩個：上帝存在與靈魂不滅。這兩個問題，在人類的腦筋中佔着絕對重要的地位，而不能求得解決。

一個科學家走來，你可以問他：「為什麼研究科學，宇宙原來是亂糟糟的，本來是亂糟糟的東西，你從中找的什麼條理？」科學家答說：「我相信宇宙是和諧的。」這一個信念，不能證明。可是這一句話可以換另一個方式說，所以宇宙和諧是承認上帝存在，愛因斯坦的宗教觀念卽屬如此。

胡適之先生在他的早年，提出了一種不朽主義，不朽主義卽是一個人的任何作為都會不朽，吐一口痰，可以發生無窮的影響，說一句話，可以發生無盡的效用，所以一個人的言行要審慎。這是對社會很僑生的一種哲學。胡先生是不信宗教的人，可是我如果向他借此不朽主義的解釋，以解釋靈魂不滅，我眞看不出有什麼矛盾的地方。

上帝存在與靈魂不滅，我們作了一番名詞解釋以後，卽感覺意念清澄了許多；而經過這番解釋，我們忽然發現宗教原是社會存在的很必要的因素。

小泉八雲在文學講話裏批評雪萊說：「宗教是千萬人，千百年的經驗，雪萊硬與此經驗抗衡，一定要食應食的惡果。」每一個古老的文化，都是伴隨宗教而發生，宗教對社會的維繫，發生了主要的作用。

可惜，科學家們並不全是愛因斯坦那樣智慧澄明，普通人們也沒有胡適之先生的那樣看法透闢。於是先知者發明了許多可使由之不可使知之的方法，此方法即是一套神話與一套哲學。藉此產生宗教對社會所發生的作用。

半瓶醋的人們不明白這套神話與這套哲學用心之苦，專從皮毛上攻擊他，而在宗教的信念坍塌倒壞之後，社會變成了洪水猛獸的森林，其不能存在，也就可想而知了。

共產黨想把他自己的黨規，變成了宗教，以維繫他那個社會。可惜這個方法太笨拙，不太見效，不見效而硬實施，遂成了恐怖的統治。宋儒想借一個人數十年的修養，達到宗教對社會的維繫作用，可惜此法太迂濶，對竹靜思不知多少年，才能達到不愧屋漏的境界。最聰明的人，是釋迦，是耶穌，他們編造了許多神話，以求得宗教對社會維繫的效用，這個方法竟維繫了人類的文明，產生了燦爛的文化。心卽是佛，眞正信教的人，是無神者，是呵佛罵祖者，因爲他們已經懂得一個宗教的起源與它的作用，無須神仙作爲媒介了。

第二次世界大戰後，有一本名著小說，叫做阿達諾之鐘，形容阿達諾城經盟軍解放後的當地老百姓對解放他們的盟軍的要求，不是麵包，而是那個城中被納粹搶走去築砲的一口鐘，雖然砲火之餘，他們正在饑餓線上。

這個故事可以告訴我們，有一種需要甚於麵包者，卽是那幽揚的鐘聲。人，原是需要鐘聲的。鐘聲表示什麼？表示上帝存在，表示靈魂不滅。上帝存在才有追求眞理的熱誠，才有追求眞理的根據；靈魂不滅，才不會貪圖現世的享樂，才不至使社會瓦解。

教堂有鐘聲，古寺也有鐘聲，鐘聲響時，我也請朋友們想一想。

【討論】

一、人們在教堂中被罵，低頭默思，可是在其他場所卻未必如此，何故呢？
二、作者要朋友在鐘聲響時想一想，想些什麼呢？

二〇 獅子

馬森

【作者】

馬森，筆名樂牧、牧者、飛揚、文也白等，民國二十一年生，山東省齊河縣人。國立臺灣師大學國文系畢業，國文研究所碩士。曾至法國巴黎電影高級研究院研究，專攻電影與戲劇，其後進入巴黎大學漢學研究所，再轉赴加拿大英屬哥倫比亞大學取得社會學博士學位。曾先後任教於法國巴黎語言研究所，墨西哥學院、加拿大阿爾伯他大學、維多利亞大學以及英國倫敦大學等。

民國七十六年返國，曾任「聯合文學」月刊總編輯、國立藝術學院教授，現任成功大學中文系教授。民國七十二年以〈尋夢者〉獲得洪醒夫小說獎。著有戲劇、小說、文學及社會、文化評論二十餘種。其劇本頗受國際重視，已有譯成外文者，臺灣、大陸及海外皆曾據以演出。

【本文】

景：一間臥房，有床、椅、書桌、書架，一邊是通向外面的房門，一邊是方格櫺式的大窗。

時：黃昏，窗紙上映著夕陽的光彩。

人物：甲──三十多歲，瘦削，教書匠。

乙──甲之早年同學，好友，年齡與甲相若，身體較粗壯，是在政界服務的。

幕開時二人已經談了相當的時間，桌上煙灰缸裡積滿了煙蒂。另有茶杯、熱水瓶等雜亂地放著。二人很隨便地時坐時站繼續談話。

甲：要是你的茶涼了，你自個兒再對點熱水。

乙：（端起茶杯試了試，過去拿熱水瓶，一面微笑著品味著老友重逢的那點欣喜的情緒）眞想不到在這兒遇到你，剛才，要不是你叫我，我還不就走過去了！我們總有八九年沒見了吧？

甲：十年，整整十年！

乙：十年？啊，可不是十年嘛，你的記性一直比我好。

甲：我出大學門的那一年是二十四，現在是三十四。你比我大一歲，你三十五了，是吧？你是七月初七生的。

乙：可不是！你的記性眞好。

甲：一想起牛郎織女，我就想起你。

乙：我可不是牛郎啊！

甲：我們不是有個牛郎嗎？

乙：是啊，是啊，你是說小屠？還有織女呢，標準的一對兒，下課後手拉手兒在校園裡逛的。

甲：畢業後他們不是結婚了嚒？以後可沒再聽到他們的消息。

乙：消息我倒知道些。牛郎織女跟我同一個時期出的國。到了國外，牛郎一直在飯館裡洗盤子、做跑堂，兩三年也沒混出個名堂來。不知怎麼後來織女跟牛郎離了婚。也許並沒離婚，就跟個外國人走了。

甲：眞有這樣的事兒？織女也興離婚的？

乙：那得看是什麼世界，如今的玉皇大帝是財神爺當的。

甲：你還是老樣子！還有誰呢……油葫蘆呢？你有他的消息嚒？

乙：聽說在香港教書。我也是一出校門就沒再見過。你有大和尙的消息嚒？

甲：在一個市政府做事。三個孩子了，人是越來越胖。已經不是大和尙了，在他做事的那個市政府裡，人家都管他叫彌陀佛。

乙：長三呢？還是那股牛勁兒嘛？

甲：甭說了，長三剛離開這兒不到兩個月。他本來在家鄉教書，不知爲什麼牛勁兒上來揍了他們校長幾個嘴巴，自然呆不住了。據他自己告訴我，是他看不慣他們校長那付官僚氣。

乙：你還記得他揍狗頭教授的狗腿的那回事兒？

甲：怎麼不記得？不是一拳頭就把狗腿的鼻子打流了血？

乙：狗腿是專門給狗頭搜集情報的。

甲：要不然大木瓜不會發生思想問題。

乙：狗頭眞可恨！

甲：可恨的還不只狗頭一個！

乙：你不是還在狗頭的椅子上偷擺了好幾個大圖釘？

甲：你不是弄了一盒臭蟲丟到狗頭的床上？

乙：你不是想叫長三摸黑兒痛揍他一頓？

甲：你不是還造個定時炸彈轟他嘛？

乙：哈！

甲：哈哈！眞絕！

乙：哈哈哈！不知道現在狗頭怎樣了？

甲：也許是死了吧？誰去管他！還有我們的詩人呢？他好像也是跟你前後出的國。
乙：你不知道他的消息？
甲：怎麼，你知道我在這個小地方一蹲就是十年，信也懶得寫一封。
乙：你們本來不是挺不錯的？我還以為他跟你通過消息呢。
甲：啊，啊，你知道我的脾氣，還有他的。在一塊兒我們可以天南地北地窮扯一陣，可是一分手就算了。
乙：眞想不到你竟會不知道他的消息。
甲：（神情略現緊張）他怎麼了？他還在外國嗎？
乙：詩人已經死了！
甲：（吃驚地）死了。
乙：死了好幾年了！我本來想你是知道的。怎麼你會眞的不知道他死的消息？
甲：（神色突現不安地）幾點了？
乙：還不到六點。你有約會？你有事嚒？
甲：沒什麼，沒什麼！你說詩人已經死了？是怎麼死的呢？噢，也許我們還是談點別的吧！

乙：我知道你們本來是挺不錯的。你看，可不是，你有點受不了這個消息！

甲：我不是受不了，不是！人還能老活著嘛？不是這個……是……也許，我們最好還是談點別的。老王，你知道老王？現在在非洲做買賣。我接到過他一封信，眞想不到的事。

乙：你接到過老王的信？

甲：一封很奇怪的信……（自語地）詩人已經死了。（抬頭）你說詩人已經死了？

乙：已經好幾年了。

甲：就是，我知道已經好幾年了。

乙：你知道？你不是剛剛說不知道他的消息麼？

甲：我是說……我知道……我怎麼會知道呢？我們從來沒通過信。

乙：我也是聽見別人說的。

甲：老王是個怪人，是不是？你知道的。聽說他在非洲生意做的很不錯。

乙：（沒注意甲的話，自說自話地）我也是聽別人說的，已經好幾年了。幾年了？我的記性眞不好，三年還是四年？三年還是四年？

甲：（也沒注意乙的話，自說自話地）老王眞是個怪人，爲什麼遠遠地跑到非洲去做生意？

乙：我眞不相信，就這麼死了。好好的一個人，還一直在寫詩呢！

甲：（突然地）詩人死了已經三年半了，是不是？在八月十五那陣子？

乙：（驚訝地）可不是嗎！你這一提，我可想起來了。我也是聽說他死在中秋左右。你看，你原來也是知道的，剛剛你爲什麼裝做不知道呢？

甲：我知道什麼？我們從來沒有通過消息。我只覺得奇怪，老王爲什麼會寫一封那樣的信？詩人又眞的死了！

乙：到底老王寫給你一封什麼信？你已說了好幾遍奇怪的信！

甲：你知道詩人是怎麼死的吧？

乙：死得挺慘的……。

甲：（急切地）別說了，別說了！我知道他死得一定很慘！你信不信鬼？

乙：（摸不著頭腦地）信鬼？誰知道呢！我從來沒有仔細想過這個問題……我想我是不信的。

甲：現在幾點了？六點半吧？

乙：（看手錶）嗯，差不多六點了。眞的，你有約會嚒？

甲：不是！我要告訴你一件奇事。太奇怪了，我本來以爲是一個夢，可是現在我才知道不是。大概是三年半以前，八月十五那一陣子。秋天裡天漸漸短了，可是平常六點還不到天黑的時候。有一天，隔壁的鐘剛剛打了六點鐘（鐘聲響了六下），天突然黑了下來。（原來染有夕照的方格大窗忽然黑下來，舞臺上只略現綽綽的人影。）我正要開燈，忽然聽見外面有人叫門。（一個深沉的聲音叫：「開開門……開開門……開開門……」聲音由微而重。）你聽，就是這個聲音，這不是詩人的聲音嚒？門忽然開了！（門忽地大開，風嘯嘯然。）開始門外是一片黑，可是在極遠極遠的地方顯出一點白光。（通過敞開的門觀衆可以看見遠處出現一點白光。）這白光越來越大，越來越亮。（白光越來越大，越來越亮。忽然有一個人影出現在白光中。因爲光來自人的後方，人影像一個黑色的剪影。）忽然我看見詩人站在這一團白光裡向我招手。（白光中的人影做招手狀，隨即隱去。白光亦漸漸微弱以至全黑。舞臺上的燈光漸亮，惟窗外仍是一片漆黑。乙呆呆地注視著甲。）我就跟他走出去。他走得很慢，可是始終跟我保持著一段距離。我喊他，他也不回頭，我就跟他這麼一直往前走。我也沒有注意我們走的是什麼路。忽然眼前顯出一片霧，詩人不見了，我完全迷了路。我大喊詩人，可是我只聽見我自己的回聲。我拚命繼續大喊。就在這時候霧漸漸散了，我忽然發現我站在無數人中間。這些人全是赤身露體的，沒有一個人穿著衣裳；而且全都是男人。我低頭一看，我自己也是一樣。我正在不知所措的時候，忽然聽見遠處傳來一種吼聲，一種野獸的吼聲。（一種野獸的吼聲由微漸顯。）這聲音有一種說不出來的叫人害怕，於是那些赤身的人開始奔跑。我也夾在他們中間一塊兒奔跑。但是那種野獸的吼聲越來越近越來越大（吼聲漸近漸大），眞怕煞人。我於是跑得更快。突然我發現跑著的只有我一個人，別的人都不知到哪兒去了。我面前是一片沙灘，沙灘中間蹲著一隻獅子。那吼著的就是牠！獅子不但蹲在那裡吼著，而且牠的前爪正在撕著一個人的身體。（以上這一段，如果條件許可的話，也可以以電影插入。）你猜那是誰？（注目於甲，二人怔怔地互視良久。）是詩人！（痙攣地癱在椅子上，喘息著，略停而又遲緩地）我醒過來，我坐在這裡，像現在這樣似地坐著。這時我又聽見隔壁的鐘正在打六點（鐘聲六下），天原來也並沒有全黑（窗上復現夕照）。所以我想，我是做了一個夢。可眞是一個奇怪的夢。你知道過了不久，我就接到老王那封奇怪的信。

乙：什麼奇怪的信？

甲：老王的信裡說，他在非洲親眼看見一隻獅子把一個人生生地撕了，吞了！

乙：也許是你弄錯了，是你先接到了這樣的一封信，才做了那麼一個惡夢。

甲：不會的，我記得清清楚楚，那封信是好幾個月以後的事。

乙：巧合！巧合！

甲：現在我才知道這並不是一個夢！

乙：那是什麼？

甲：是眞的！你告訴我詩人死了，死得很慘，詩人叫獅子吞了！

乙：可是詩人並沒有叫獅子吞了！詩人是死在地下車道裡的！

甲：死在地下車道裡的？

乙：我是這樣聽別人說的。至於是自殺，是意外，沒有一個人知道。他又是一個人在外國，死了也就死了，朋友們嘆口氣，掉上兩滴眼淚，過了兩年也就把他忘了！

甲：可是我親眼看見他叫獅子吞了的，好像老王在非洲親眼看見獅子吞人一樣！

乙：是幻想，是幻想，你還是老愛那麼胡思亂想的。你爲什麼不結婚呢？你看你比以前更瘦了。你的心情一定也不好。要是結了婚，心情總會好點的。

甲：結婚？跟誰？

乙：跟女人，當然跟個女人，這還用說嗎？

甲：在我的世界裡沒有女人！

乙：你還是那麼孤癖，我明白，老脾氣是一下子改不了的。

甲：那也未必，我還不是跟別人一樣地在這個世界上鬼混？只是我沒法忍受女人。女人總使我聯想起獅子，可以生生地把人撕了的獅子！

乙：（同情地）這又是怪論！噢，你太孤獨了！打我們畢業以後，老朋友都一個個地東零西散。你眞是太孤獨了！你知道，這樣下去，對一個人是很危險的。

甲：（矜持地）可是我活得也並不比別人差！

乙：我勸你還是結婚好。哪怕娶一隻獅子呢，也比打一輩光棍兒強！

甲：我也常這麼想：人爲什麼不可以跟獅子結婚？一個男人爲什麼偏要娶一個女人？這是不合理的，非常不合理的！眞的，你信不信鬼？

乙：你怎麼老問這個問題？我已經告訴過你，我不信！

甲：可是老王的那封信太奇怪了！

乙：有什麼奇怪的！在非洲獅子吃人還不是常事嚒？

甲：不！他一定是遇到了一件比普通獅子吃人更奇怪的事；要不然他不會突然地寫那麼一封信來。也許……也許……你想……也許他跟我看見了一樣的東西……

乙：你是說詩人？

甲：詩人也許並沒有死在地下車道裡！

乙：你老愛這麼胡思亂想的。這是幻想！我早告訴過你，我們談點別的好不好？

甲：（默然地）

乙：我想你在這個地方呆得太久了。你說長三兩三個月前離開了這裡，你這裡還有別的朋友嗎？

甲：沒有，一個也沒有，有本事的誰肯老呆在這個小地方？

乙：我的意思是說，一個人老把自己關在一個地方是很不好的。久了容易產生幻想，也容易流於孤癖。我自己這十年來總是東流西蕩的，這裡呆上兩年，那裡呆上兩年，所以連發愁的時間也沒有了。

甲：誰又願意老呆在一個地方？我要是有你兩下子，又怎能幹一輩子教書匠？

乙：其實幹教書匠也不錯，錢雖然賺的不多，可是落個心安理得。

甲：心安理得？試試看，等你幹上兩年，準保你不再說這個話！

乙：可是你們清高啊！

甲：算了吧，誰要是再說這個話，我眞想揍他一頓！

乙：就不說清高，你們總都是些君子人，不像幹我們這一行的狗屁倒灶。我說狗屁倒灶，是眞的狗屁倒灶！

甲：你沒看前天報上小學教員姦殺女生？君子！中學校長侵呑全校教職員的福利金？君子！有好有壞還不都是一樣，不管幹哪一行，還不都是些沒毛的畜牲！

乙：罵得好，罵得好！眞有你的，我就說，要憤世嫉俗嘛，得像你，憤嫉得徹底！

甲：憤世疾俗嘛？也許以前有過，現在我才沒那個勁兒了呢！看來看去，我算得到了結論，這個世界是不値得憤的！

乙：這個世界雖說不値得憤，活著還總得活著，你說是吧？

甲：問題就在這裡。所以說詩人是個榜樣！

乙：是什麼榜樣？叫地下車軋死？還是叫獅子呑了？

甲：我是說叫獅子呑了！你沒看見過獅子呑人，這個你不會懂的！

乙：噢，雖然我沒看見過，可是我還想多活兩天！

甲：那是一樣的。到了沒有別的路，你不做詩人，就做獅子！

乙：啊，要是叫我非挑選不可的話，我寧願做獅子！

甲：你也去撕人嘛？你也去呑人嘛？

乙：爲什麼不去？要是這樣可以免得給人吃了？

甲：自然，自然，這一點我們是不同的。你知道打十年前我就一直佩服你！你眞行！還記得大木瓜是怎麼死的？

乙：（失色地）誰說大木瓜死了？

甲：大木瓜的思想有問題，狗頭沒有放過他。

乙：你是說他死在獄裡？

甲：不是，是獅子撕了他！

乙：（緊張而不耐地）又是獅子！又是獅子！我勸你還是少做這些惡夢吧！

甲：這不是惡夢，是事實！跟大木瓜在一塊兒的不是你嚒？不是我嚒？爲什麼你跟我都還好好地活著？

乙：（惱怒地）好了，好了，別再提這些過去的事吧！

甲：（冷笑地）別提！爲什麼不能提呢？又傷了你的自尊心了？

乙：（鬆一口氣）提吧！提吧！都說出來！都說清楚了也好，我早已沒有什麼自尊心了！

甲：算了！何苦呢！我們畢竟是老朋友了！說實在的，在這個世界上我只有你這麼一個朋友！

乙：那是因為詩人死了，是不是？
甲：不！詩人只是一個可以談談的朋友，打他那兒我學不到什麼。
乙：打我這兒恐怕你能學到的更少。
甲：那要看是什麼學問！
乙：你倒說說看，我還從來沒有想到我還有幾分長處。
甲：誰都有幾分長處，不過有的人長在恰當的地方，有的人就長在些婆婆媽媽的瑣事上。
乙：照你說，我倒是長在恰當的地方？
甲：可以這麼說。不過……
乙：不過什麼？
甲：不過你那長處不是人人可以學得了的！
乙：學不了，你還是拿我當個朋友？
甲：雖然我拿你當個朋友，可是說實話，我並不多麼瞧得起你……
乙：啊？
甲：是，我並不多麼瞧得起你！不過問題是我更瞧不起我自己，所以到了我不得不佩服你！

乙：你這種轉彎抹角的口才，也不能不令人佩服。

甲：（繼續自己的話）其實你並不比別人壞，你反倒有一種人們所沒有的長處：誠實！

乙：算了！算了！誠實這個字是很難說的，頂虛僞的人有時候也會有幾分誠意，頂誠實的人也保不準全不做假。說老實話，剛才你叫我的時候，我還在想你是不是眞的願意見我。

甲：爲什麼？

乙：我不知道你是不是原諒了我。

甲：爲什麼要我原諒？死的是大木瓜，又不是我！我不過挨了一頓揍而已。再說，不是我們一塊兒把他賣了的嘛？

乙：謝謝你。（喘一口氣）我倒用不著你來分擔這種責任！我一點也不願意騙你，要是需要的話，我會把你一起賣了的。

甲：你想難道說我還不明白這一點嚒？也就因爲如此，我才對你佩服得五體投地。只有像你這樣的人才配合活在這個世界上，也只有像你這樣的人才是這個世界的眞正的主人！

（下略）

【賞析】

本篇選自《腳色——馬森獨幕劇集》，是作者在墨西哥時所寫。劇中人物只有甲乙二人，他們是十幾年前的同窗老友，偶然相遇，一個已是政壇風光的人物，另一個仍只是窮教書匠。場景就在教書匠的書房裡，從頭到尾都不曾換過場；透過兩人的對話，呈現當年讀書時的少年輕狂，也顯露了十數年來的物換星移，同班同學間的人世浮沈。

劇中的兩個人物，一個是得意者，一個是失意人，儘管際遇不同，卻同時面對一個眞實的，也是不可逃避的生命問題；所獲得的也同是一個悲劇性的覺悟，雖然兩人對這覺悟的自覺性強弱有所不同。當年同學間是一個整體，一起對抗「狗頭」，可是彼此間仍有小團體，甚至相互間也有明爭暗鬥的存在。這種現象讀來令人大感不快，卻是人存身於天地間難以掙脫的宿命，這是這個劇本的主題所在，也是二十世紀以來風靡於舞台劇場的「荒謬劇」的共同主體。

在表現手法上，作者把過去與現在融合在一起；由「現在」的談話推向「過去」，而「過去」的發展又逐步導出「現在」，整體看來，卻又完全合乎「三一律」的規範，這是相當難得的。無怪亮軒要稱讚它「在一則獨幕劇中（把三一律）加以消化並且運用，又不顯出學步樣的稜角，很不容易。」

附錄一 啓事廣告

一、啓事廣告之意義

廣告有兩種：一爲商業廣告，一爲啓事廣告。方今社會結構，日益複雜，商場競爭，日益激烈，以是所有公司行號，無不絞盡腦汁，自我宣傳，以博取廣大羣衆之好感。時日既久，遂有廣告公司之出現，專門設計各種商業廣告，林林總總，無奇不有，極炫眼奪目之能事。故今之商業廣告，已成專門學藝，非老於此道者不能爲，茲概從略，而專論啓事廣告。

啓事廣告亦稱人事廣告，凡個人或機關團體對社會大衆或一部分人或某一個人有所陳述，以公開方式，在一定時間內，登載於報紙雜誌上，或張貼於顯明處所之文書。其性質與普通信札略同，惟信札僅用之於對個人，而啓事廣告則在求取大衆之注意，即使專向某一機關團體或個人而發，亦隱然有引起大衆注意之意思，故目之爲公開信之變體，當無不可。

二、啓事廣告之種類

啓事廣告由於刋載之目的與項目不同，種類繁多，要而歸之，可分爲四大類：

一、**公布類**　公諸社會，俾大衆對某項事務能有所了解。如鳴謝啓事、開業啓事、警告啓事、訂婚啓事、結婚啓事、解除婚約啓事、離婚啓事、喪葬啓事、介紹啓事、遷移啓事、道歉啓事、尋人啓事、尋物啓事等。

二、**徵求類**　公開向社會徵求，以達到其特定之目的。如招考啓事、徵婚啓事、招租啓事、招標啓事、讓售啓事等。

三、**公告通知類**　凡不明受文者之住所，無法送達，對特定人採用公開方式通知。如法院或機關公示送達文件，或學校集會通知等。

四、**公告聲明類**　爲完成法律應具之程序，或對不特定人而作之公開聲明。如遺失啓事、徵詢異議啓事、聲明啓事、委託啓事、受任啓事等。

三、啓事廣告之結構

啓事廣告之結構，就其內容所應包括項目，至少應具備下列五部分：

一、**標明性質**　啓事在正文前，應標明性質，予人以明晰之觀念。如急徵人才啓事，結婚啓事等是。按現在報紙皆有分類廣告，凡分類廣告之啓事，如不標明性質，報社亦可分別排於各類之中。

二、**啓事事實**　啓事係爲某一特定事項聲明或要求，亦卽啓事之事實，在啓事之內容上應作詳細說明，如招考技術人員之啓事，應將招考人員之資格、報名手續及日期、錄用人數、以及錄取後待遇如何，均須一一載明。

三、啓事目的 啓事之目的是希望看到此一啓事之人應作如何處理。例如徵求歷史文物啓事：『倘蒙割愛，當致重酬。』聲明啓事：『誠恐外界不明眞象，特此登報聲明。』

四、啓事對象 報刊啓事雖對社會大衆有所宣告，以期了解，但仍有其特定之對象，例如結婚啓事：『特此敬告諸親友。』警告啓事：『警告逃夫○○○。』道歉啓事：『敬向○○女士道歉。』商店遷移新址啓事：『敬請舊雨新知不吝指敎。』

五、啓事人具名 啓事人之具名可用本名、化名、略名、隱名四種。玆分述之：

㈠**本　名**：如警告攻訐等啓事，涉及法律問題，故應具本名，以示負責。

㈡**化　名**：此乃欲誹謗他人名譽，逃避法律上或道德上之責任。惟今日報社對此類廣告均有限制，故已少發現。（惟張貼方式除外）

㈢**略　名**：如男士徵偶、小姐徵婚等，均不具本名，而以『某君』、『某小姐』代之。

㈣**隱　名**：此與略名不盡相同，因略名雖不具本名，尚有一略名，而隱名則根本不具名。如『函本市○○路○號洽』。或上面寫『○○兄鑒』，而下面則僅寫『知名』二字。

四、啓事廣告之作法

啓事廣告與普通文章不同，普通文章長短繁簡，可隨興所至，任意取捨。而啓事廣告則因受人、地、時、事之種種限制（請參閱本章第三節），不能暢所欲言。要而言之，寫作此類文字時，須注意下列三事：

一、**簡明謹嚴** 文字不宜冗長，力求簡單明確，尤須處處顧及法律依據，蓋稍有差池，即涉訟事，故雖一字一句不苟措，斯爲得之。

二、**淺近扼要** 啓事廣告係刊登報紙，所費不貲，故應採用淺易文言文，語無虛發，切近事實，用最少文字表達全部事實，使人一目了然。

三、**約定俗成** 啓事用詞雖未明定於法律，然亦有其規律，或由於習慣使然，或由於社會公認，吾人未可標新立異，否則反易扞格不入，貽笑方家。

五、啓事廣告之法律關係

所謂啓事廣告之法律關係，是指啓事人之法律責任與啓事之法律效力而言，原屬法律問題，似不在應用文範圍之內。惟普通法律常識仍爲現代國民所應知，用特條陳二事如左：

一、啓事廣告不但可爲訴訟時採證根據，如有妨害他人名譽及信用者，刑法並有處罰明文，故啓事人對啓事廣告內容應負法律責任。

二、啓事廣告在法律上無法認定當事人一定看到，並無絕對效力，故對於『聲明異議』，『通知參加』等類啓事，仍以掛號郵寄或法院公證送達爲宜，如諉以不明地址無法送達，亦應向法院聲請公示送達。如關係人太多，無其他方法完成意思表示之效力，以啓事通知關係人或徵詢異議，在事實上並非毫無意義，惟法律上無絕對效力而已。且法律行為之成立，在法律上有一定要件，如『結婚』『離婚』分別依民法第九八二條及一〇五〇條規定其要件（如公開儀式二人以上證明等），決不因刊登廣告啓事而有法律上之效力，其他諸事莫不如此。總之，啓事廣告之意義及作用固然甚多，然在法律上之效力則極微小。

六、啓事廣告實例

（一）公告通知

國立臺灣大學公告

中華民國六十七年十一月八日
(67)校總字第八一七八號

國立臺灣大學歷屆畢業校友公鑒：

本年十一月十五日（星期三）為本校成立卅三週年校慶紀念日，是日上午十時在本校體育館舉行校慶紀念大會，會後在學生活動中心茶會，歡迎本校校友返校參加，共申慶祝。校友會在本校正門及新生南路側門均設有招待站，負責接待事宜。

國立臺灣大學卅三週年校慶籌備委員會啓

臺灣省立臺北師範專科學校校慶歡迎校友返校　啓　事

十月廿五日本校校慶（原為十二月五日從去年起奉命改在光復節）舉辦各項慶祝活動，並定廿五日上午八時舉行校慶紀念大會，九時半本校暨附小聯合運動會，歡迎歷屆校友返校參加，共襄盛舉。

（二）鳴　謝

㈠謝祝壽

屈萬里啓事

日前猥以賤辰，重勞　諸前輩、諸至友或枉駕賜教，或函電勗勉，或寵以厚貺，或錫以鴻文。高誼雲深，沒齒難忘。病中不克趨府面謝，僅布區區，敢乞　曲宥爲幸。

楊廷俊謝啓

廷俊八十賤辰，值國步艱屯，未敢言壽，重勞　高軒雅貺，感愧無量，敬布謝忱。諸維荃　察

謝　啓

敬啓者：昨爲家君七十壽辰，芳荃等遵奉庭訓，厲行節約，猥蒙　政府長官、桑梓父老寵臨道賀，既隆儀之下賚，復吉語之增華。高誼雲天，良深銘篆。清茗接待，諸多簡慢。謹申謝悃。

伏維　朗照

陳芳荃謹啓

任飛謝啓

日昨賤辰，承各學術文化團體籌備，黨、政、軍、警及文化、教育、社會等各首長與各友好惠賜詩文字畫，或枉駕蒞臨，高情隆誼，感激無似。國家多難，不敢言老，今後當一本報國素願，繼續努力，以副厚望。祇以事冗，未克一一拜謝，尚祈　曲宥爲幸。

日昨家母八十壽誕，荷蒙
長官親友高軒蒞止，題贈佳作，厚賜隆儀，雲情高誼，銘感五中。祇以招待不週，敬乞 鑒諒，
並申謝忱。

魯海桑謹啓

日昨賤辰，渥蒙
總統頒賜壽軸，及 諸長官親友或高軒蒞止，或墨寶遙頒，華藻鴻文，光叨
福照。謹申謝忱。諸祈
澄 詧

丁紹武敬啓

謝啓

一昨賤辰渥蒙
蔣總統 嚴前總統 謝副總統以及政府首長各界友好寵賜嘉言或親臨茶會隆情厚
誼莫名感鐫敬申謝忱諸希
荃 察

許曉初 率子 肇怡 肇蕃 肇維 鞠躬

(二)謝賀婚

張同塵
楊憶梅 鳴謝啓事

日昨 長男孝徽 次女潤之 結婚，辱承 長官親友寵錫厚貺，惠臨觀禮，無任榮幸。謹此申謝。

㈢謝賜選票

銘謝賜票

樹芳此次參加臺北市第五屆議員競選，承　諸位長官父老兄弟姊妹盛情賜票，衷心感激，莫可言宣，除另行趨府拜謝外，謹先致意，諸維　霽詧。

萬樹芳鞠躬

銘謝當選

芳遠承教育界同仁愛護，當選為立法委員，至深銘感，在任期間，自當竭誠服務，以副雅望，謹此申謝。并祝　年釐

劉芳遠鞠躬

銘謝賜票

啓雲此次參加臺灣省第七屆省議員競選，承　諸位父老兄弟姊妹賜票，曷勝感篆，謹此申謝。伏維　朗照

楊啓雲鞠躬

㈣謝醫師

謝高士潔醫師啓事

鄙人久患眼疾，屢醫不癒，頃承　高士潔醫師細心治療，未及匝月，即告痊可，銘篆之餘，特此登報申謝。

孫履常謹啓

高醫師診所：臺北市瑞安街三一三號

(五)謝救火

鳴謝啓事

日昨本公司大樓不幸發生火警，承蒙　臺北市警察局消防大隊王大隊長及消防員警馳赴現場灌救撲滅，感激之餘，謹此申謝。

東光百貨公司敬啓

(六)謝光臨

本飯店昨（三十）日重新開幕，承蒙　**胡金銓**先生蒞臨主持典禮，**胡慧中**小姐剪綵，中外各界貴賓高軒蒞止，寵賜隆儀，雲情高誼，銘感五中。祇以招待不週，殊深歉疚，尚祈時加賜教，俾資遵循。謹申謝悃。諸祈

垂　詧

光華大飯店
董事長　曾元暉
總經理　魏文衡　謹啓

震亞公司謝啓

本公司昨日開張營業，爲響應政府號召，厲行節約，未舉行酒會剪綵，荷承　各界先進高軒蒞止，殷殷賜教，雲情高誼，銘感良深。惟服務欠週，殊感歉然。今後尚祈　時加指導，藉資改進，曷勝企幸。謹申謝悃。諸維

亮　詧

震亞大衆市場股份有限公司　敬啓

(三) 婚　約

(一) 訂　婚

長男明非
三女賽齡
於中華民國六十八年三月二十九日在臺北市訂婚謹此敬告

諸親友

陳　功易
陳黃綮瑞　敬
李治羣
楊綺榮　啓

彭弇東
楊愛梅
訂婚啓事

我倆經徵得雙方家長同意謹擇於民國六十八年九月三日在臺中市訂婚特此敬告

諸親友

(二) 結　婚

囍囍囍囍囍囍囍囍囍囍囍囍囍囍囍

謹詹於國曆三月廿八日（星期六）為
　　　農曆二月十五日

長子天成
長女鳳英
在臺北市舉行結婚典禮恭請

陳部長慶瑜福證特此敬告

諸親友

陸繡山
胡壽福　謹啓

囍囍囍囍囍囍囍囍囍囍囍囍囍囍囍

長男大雄
五女瑞美
已於中華民國六十八年四月九日在雲林地方法院公證結婚謹此敬告

諸親友

洪　兆蘭
洪虞雲裳
黃　達郎　敬
黃李雙娣　啓

次男永輝已於四月七日下午三時與
榮益仁
林淑寬賢伉儷之次女公子慧敏小姐
舉行婚禮特此　敬告
諸親友
段家鋒
馮靜容　謹啓

小女倩平已於民國六十八年四月廿二日與
Mr. Mitchell Levy
在臺北市結婚謹告
諸親友
王兆麟
應菊如　敬啓

我倆已於中華民國五十八年六月二十五日在高雄地方法院公證結婚特此敬告
諸親友
車愛光
潘柳黛　敬啓

(三)解除婚約

解除婚約啓事

我倆因個性相悖，勢難締結鴛盟，雙方同意解除婚約，特此聲明。

民國六十八年八月三十日

彭若虛
羊安隄　同啓

(四)離婚

離婚聲明

我倆因意見不合，勢難偕老，經協議脫離夫妻關係，嗣後男婚女嫁，各不相涉。特此登報聲明，並敬告親友。

史雁峯
章　敏　同啓

離婚啓事

我倆情意不投，勢難偕老，經雙方協議離婚，永斷葛藤，嗣後男婚女嫁，各不相干。除另立書據，並請新竹地方法院公證外，特此聲明。

石幼麟
黎健行　同啓

(四) 壽慶

(一)發起祝壽

國曆三月五日（星期六）爲湘潭楊劍峯將軍八十嵩慶，謹訂於是日下午三時起假臺中市宜寧中學大禮堂舉行簽名祝嘏，並備茶點招待，敬請　楊將軍親友袍澤屆時撥冗參加爲荷。

慶祝湘潭楊劍峯將軍八十誕辰籌備會敬啓

慶祝段恩培先生七秩誕辰啓事

國曆九月二日（星期三）欣逢　段恩培教授七秩大慶，謹訂於是日上午十時至十二時假臺北市愛國西路自由之家舉行簽名祝壽，敬請
諸親友好踴躍參加。

莊雅州　林茂雄
李周龍　陳文華　同敬啓

(二)辭壽

秦光裕啓事

光裕八十賤辰，渥蒙　諸親友好發起祝壽，高誼雲情，感荷無旣。祇以德薄才庸，兼値邦步多艱，何敢言壽。除於卽晨遄赴中部郊區靜思外，恐勞　親友枉駕，謹此布意，並致謝忱。敬希　鑒諒

(五)辭行

(一)團體

旅美回國商業考察團謝啓

此次本團回國參加國慶大典辱承　總統副總統召見勗勉各界首長曁廣東同鄉殷切關懷盛情款待拜領之餘銘感五中祇以行期匆促未能一一踵辭謹布謝悃敬祈　亮　詧

本團此次回國訪問，承蒙政府機關曁各界人士熱忱接待，隆情厚誼，感激良深。玆以回程匆促，不克一一走辭，謹此致歉，並申謝悃。

旅日回國訪問團全體團員謹啓

(二) 個　人

李約翰辭行啓事

本人此次奉召回國參加國建會，承　政府長官及各界人士熱誠款待，多方協助，祖國溫情，莫名感篆。玆因預定期限屆滿，定於今晨搭機返美，臨行倉卒，不克一一踵辭，謹此申謝。並乞不遺在遠，時賜南鍼，以匡不逮，無任企幸。

日本佛教訪華親善團啓事

此次中村一雄等三十五人來華訪問，承蒙　中國佛教會與臺北分會、臺灣省臺中市支會、高雄市支會、屏東縣支會、東方佛教學院、並諸山長老大德、以及政府機關首長優予招待，銘感無旣。中日兩國佛教文化交流，本有悠久歷史，今者受此厚遇，尤感振奮，回國後當更向此目標，力謀策進，加強合作。祇以行色匆匆，未遑踵辭，特留數語，藉表謝忱。諸祈　鑒宥。

(六) 追　悼

國立清華大學前教務長
國立交通大學前教授兼系主任
私立大同大學前校長
胡敦復先生追思紀念會

訂於六十八年三月十九日（星期一）下午三時正假臺北市延平南路一八一號實踐堂舉行　特此

敬　告

國立清華大學在臺同學會
國立交通大學同學會　謹　啓
私立大同大學校友會

聯絡處：臺北市中華路八十三號
電話：三六一〇六三九

聯幛花圈賻儀均懇辭

哀　啓

六十八年三月廿六日

先慈史母許太夫人痛於中華民國四十一年在故鄉洛陽潘寨鎮仙逝不孝男時以旅居海外消息隔絕日昨始驚聞噩耗深以不能親視含殮悲痛罔極爲盡孝思謹擇於國曆六十八年四月十五日上午九時爲先慈九秩晉八華誕前夕假臺北市濟南路二段四十四號華嚴蓮社舉行追祭典禮並誦經超薦以慰在天之靈叨在

戚學
鄉世
寅誼謹此奉

聞

棘人史梅岑率妻子女敬哀啓

先夫關佩恆先生逝世三週年

謹訂於十一月廿九日（星期三）上午十一時假臺北市新生南路二段天主教聖家堂舉行追思彌撒由郭總主教若石主持特此敬告

諸親友

鼎惠懇辭

未亡人關趙曲欄率子女敬啓

輔仁大學啓事

四月十三日爲本校前校長于野聲樞機晉九冥誕，本校師生訂於是日上午九時三十分假本校于樞機墓園舉行紀念儀式，特請師長暨歷屆校友撥冗參加爲荷。

(七) 開　業

南聯國際貿易股份有限公司啓事

本公司奉經濟部經(68)商字第一〇一〇一號函准公司登記，茲訂於四月十二日開始營業。籌備期間，渥承　政府有關機關及工商界先進指導與支持，至深銘感。今後當貢獻棉力，報效國家，造福社會，敬祈　賜予指教。

營業項目：

(一)經營貿易業務及其有關之國內外買賣業務。
(二)辦理政府委託之貿易業務。
(三)代理國內外廠商產品之銷售及投標業務
(四)代理國內外廠商之採購及招標業務。
(五)辦理進出口融資、承兌、承還、保證、保稅及設立保稅倉庫等授信業務暨其他保證業務。

中華民國六十八年四月十二日
(68)南管字第〇三一七號

(六)辦理倉庫業務。
(七)自行進口加工外銷之原料，其進口稅捐自行具結記帳及辦理沖退稅業務。
(八)協助國內廠商爭取外資或對外投資與技術合作。
(九)前各項有關業務之經營與投資。

副董事長　吳修齊　　總　經　理　林柏欣
董　事　長　吳三連　　駐會常務董事　陳樸一
副董事長　吳尊賢　　副　總　經　理　高信治

公司地址：臺北市南京東路三段三六號
　　　　　臺北企銀大樓十樓
電　　話：五三一〇一六一
TELEX: 26000 NANLIEN

懇辭任何寵賜

新臺百貨公司啓事

本公司業已籌備就緒，謹擇於八月二十五正式開業，是日上午九時正敦請
常知非先生按鈕，敬備雞尾酒會，歡迎
周芝明小姐剪綵
各界人士蒞臨參觀指教，不勝榮幸。

新臺百貨公司　董事長　汪懋亭
　　　　　　　總經理　楊漢聲　謹啓

地　址：台北市武昌街二段三十六號
電　話：三三一六九八一號（十線）

韓康大藥房開業啓事

本藥房經銷國內外各大名廠良藥、化工原料等。謹訂於本（廿三）日上午十時正式開業，敬備
茶點，恭請
同業先進暨各界人士惠臨指教。

韓康大藥房謹啓

地　址：台中市有恆街二十五號
電　話：二六三二一七號

（八）遷　移

龍眠書局遷移新址啓事

本書局因擴展業務，原址不敷應用，特遷移臺北市師大路十五號新址，並於九月十日開始營業。敬請　舊雨新知時賜指敎爲幸。

龍　眠　書　局　謹啓

電話：三九三八四三四號

遷　移　啓　事

本事務所新購置臺北市仁愛路四段六十四號（敦化南路口）亞洲大廈九樓九二一室新址電話七〇二一五二一六號業於十月十一日遷入繼續執行業務敬請

舊雨新知賜予指敎

李開正會計師事務所敬啓

遷移啓事

本會自卽日起遷移至高雄市中山二路四百七十二號啓安大樓四樓辦公，一切公私函件悉依上址投寄，特此奉告，敬請　惠敎。

高雄市進出口商業同業公會啓

電　話：二四一一九一（六線）

天演化學股份有限公司遷移啓事

本公司因擴充業務，即日起遷至○○市○○○路○段○○○號○樓（○○○隔壁）新址營業。電話仍爲○○○○○·○○○○○。至祈舊雨新知倍加愛顧，時錫南針，無任企幸。

（九）警告

㈠警告逃妻

警告逃妻廖百合

你因貪慕虛榮，不守婦道，竟於三月十八日乘我出差之際，將家中金飾悉數捲逃。限登報十日內返家，旣往不究，否則依法控訴，幸勿自誤。

李光榮　啓

㈡警告逃夫

警告逃夫孫炎昌

你藉故攜款離家，迄今月餘，音訊全無，置家庭生活於不顧。所施詭計，均已探悉，勿再掩飾。望你見報後一週內回家解決，否則依法訴究。

宋欣雲　啓

㈢警告捲逃

警告周肇東啓事

周肇東君現年三十二歲，臺南縣人，任本公司出納，昨日竟將所保管之一百萬元及有價證券席捲潛逃。茲特登報警告，限三天內回公司清理，否則依法報請通緝。如有知其下落者，並盼勸其迷途知返，或通知本公司，或告知當地警察機關，無任銘感。

益豐貿易公司謹啓

地　址：基隆市愛三路五十一號
電　話：五四一九〇〇號

袁岳衡律師代表沈宛君女士正告東光人壽保險公司啓事

茲據上開當事人委稱：氏夫胡夢魁生前在東光人壽保險公司保有福利儲蓄險新臺幣一百萬元，不幸於月前因頭部外傷逝世，依該公司規定，自應給付保險金新臺幣一百萬元，惟迭經交涉，該公司皆謂氏夫並非因外來突發劇烈事故致死。查氏夫因傷去世，有市立醫院診斷書可據，該公司竟曲予解釋，顯屬有違誠信原則，特委請正告該公司，請其於十日內將該款給付，逾期當訴之於法等語。合代啓事如上。

袁律師事務所：臺北市襄陽路二十七號五樓　電話：三八一四八三〇號

（十）徵　聘

臺中某高中徵聘教師啓事

一、科別：國文、英文、數學、化學、會計、美工、電機、電子、機械工程動力組、建築。

二、五月十五日前，請將詳細自傳、大學四年成績單、學經歷證件，另附二吋半身近照一張，寄臺中市郵政信箱第一五二號，合則約談。（自傳及各項證件請用影印本，恕不退件。）

某大紡織廠總管理處徵聘人才啓事

1. 企劃研究員：男性。企管、會計、財稅或相關研究所及系畢業，年卅歲以下。
2. 助理研究員：女性。公立大學商學院有關科系或經濟系畢業，年廿五歲以下。

請於四月十二日以前將履歷片、自傳、照片寄臺北郵政信箱一四三五號收，不合恕不退件。

某公司徵英文祕書啓事

凡大專外文系科畢業，英文程度良好並擅長打字，年在四十歲以內，有意應徵者，請繕具自薦書，說明希望待遇，連同簡歷表一份、最近二吋半身照片一張，於九月卅日前寄臺北郵政五〇九號信箱。合則函約面試，否則原件退還。

（十一）徵　求

㈠徵　婚

淑女徵婚

某小姐，廿八歲，江蘇籍，國立大學文學士，現服公職，身高一六三公分，品性端淑，風姿美雅。徵身材高大、職業高尚、談吐高雅、經濟基礎雄厚、國立大學研究所畢業之男士，先友後婚。有意者請親書自傳及簡歷照片寄臺北市龍泉街一六五號王太太收轉，合即約晤，不合密退。

徵　婚

某君，卅六歲，臺籍，公立專科畢，高一七四公分，重六四公斤，現任民營公司經理，收入豐，有房蓄。徵高中以上、廿八歲以下、秀外慧中、愛好音樂之淑女爲侶。有意者請將自傳近照寄臺北板橋光武路三一四號林太太收轉。合約晤，否密退。

婚

福西哲夫現年34歲石川島造船公司設計員月入六萬B型未婚徵21至30淑女北市南京東路3段89巷5弄2號二樓電562-9957陳

婚

小女26護專畢藥師高161端麗明朗徵大畢170上35下正職有爲男士出國可意者歷照寄三重仁愛街315巷160號2樓孔轉

婚

男43魯籍未婚高179重73健俊無不良嗜好留美業商有產徵25至35未婚清貞秀慧高上淑女寄歷照電士林大東路160號洪君保密

婚

臺籍美僑美國女藥劑師1953年生健美美國醫學院藥學系畢現在美高職誠徵在美或赴美男醫師或專業人才簡歷相片請函臺北郵政信箱 516 號收

㈡徵求合作

徵求合作啓事

某營造廠爲擴大營業，徵資十股，每股二十萬元，除享受股東權益外，並可供職支薪，有意者請與○○市○○路○○號○○○君洽。

㈢徵求書籍

徵求書籍啓事

茲徵求○○書局出版之『全唐文』一部，願出讓者，請開示價格函○○市○○路○○號○○○洽。

(十二) 慶賀

慶賀

林老校長東淦先生之

令坦謝孟雄博士　臺北醫學院院長
令嬡林澄枝教授　實踐家政專校校長

榮任

應是冰清招玉潤　欣看龍鳳出天池
上庠座主添雙璧　樂育英才固國基

省立高雄高級商職旅北校友會　敬賀

邦家之光

賀蕭順昌先生之長公子東屛世兄榮獲
日本國立東京大學理學博士學位

高惠吉敬賀

（十三）預約

王雲五主編

四角號碼索引本

佩文韻府

•我國最完備的文學大辭書•

六大用途：求解　辨義　選詞　典據　考證　叶韻

樣張備索

預約價格：二、四〇〇元（定價三、三六〇元）

發售預約　卅日截止　同時出書

臺灣商務印書館　臺北市重慶南路一段三七號　郵政劃撥第一六五號

謝觀編纂

中國醫學大辭典

•中國醫學權威之鉅著•

名詞七萬餘條附補遺及索引
卅二開五千餘面精裝四鉅册

再版發售預約

本書於五月初發售預約，為期兩月，詎料預約期限未屆，印數全部訂購告罄，而訂單紛紛續到，無以供應，向隅諸君堅請加印，為此再版以應需求，並照原價發售預約，敬請及早訂購，免再向隅。

預約價格：七百元（定價九六〇元）

預約時間：本月底截止　同時出書

臺灣商務印書館　臺北市重慶南路一段三七號　郵政劃撥第一六五號

（十四）介　紹

㈠介紹書畫展

介紹鄺諤書畫個展

鄺諤號光慈，別署嶺南一士，愛日齋主。粵之台山人。現任香港中國美術會監察委員會主席、台山書畫會理事長、中華藝術學院院長。自幼浸淫書法，工各體。所作行草，用筆俊拔，自然流暢，而法度謹嚴。間用左腕，亦見沈著健舉，同具舞鶴之姿，早已蜚聲海外，推爲獨步。近年偶以書法入畫，振迅天眞，面目『有我』，雅淡閒適，亦爲識者所稱許。現檢其近作凡百餘幀，訂期於八月一日至六日假臺北市衡陽路二十號正中畫廊舉行回國首次個展，並於每日下午四時至五時在展覽場中卽席揮毫，藉以就正於藝壇有道。特爲紹介。

介紹人

成惕軒　何適　周樹聲　林光灝　祝秀俠
梁又銘　梁中銘　翁文煒　陳子和　張光亞
張軍光　劉延濤　劉太希　謝伯昌　釋曉雲

（排名按姓氏筆畫爲序）

㈡介紹名醫

○○○大醫師家學淵源，承先人祕傳，對○科○症獨具心得，凡經診治者，無不藥到病除。本人素患此症，經○大夫醫治，多年痼疾，霍然而愈，受惠之餘，特爲登報介紹，俾患者知所問津焉。○大夫診所設○路○號。

介紹人○○○啓　○月○日

㈢介紹產品

華清公司最新出品之自動熱水器，已取得中央標準局正字標記，設計美觀，使用安全，且價格低廉，現經○○、○○、及○○建築公司採用，交相稱譽。本公司新建○○大樓，總計○○戶，衞生用熱水器均採用上項產品，而本大樓各戶亦均訂購家庭用熱水器，特此鄭重介紹。華清公司營業部設○○路○號電話○○號。

美華建築公司啓　○月○日

（十五）聲　明

㈠職員離職

查本公司前聘經理○○○先生，因另有高就，已於○年○月○日離職，嗣後○○○先生在外之往來，概與本公司無涉，特此聲明。

○○○○公司啓　○年○月○日

㈡買賣土地

某機關經購座落○○縣○○鄉○○段○○地號土地一塊，如對上項土地持有意見者，請於○○年○月○○日前提出，由出賣人負責清理，逾期與買主無涉。特此聲明。

出　賣　人：○　○　○
住　址：○○○○○
承買人代表：○　○　○
住　址：○○○○○

附錄二　存證信函

存證信函之意義及法律性質功能：

一、存證信函的法律性質

存證信函主要的是達成法律上「保存證據」及「催告告知」，避免時效消失。

如何確保債權：存證信函的聲請調解、假扣押、假處分制度之應用及聲請法院核發支付命令、並取得勝訴確定判決。

二、郵局存證信函的功能

依郵政郵件處理規則第三十四條第一項規定，掛號信函寄交時，加付存證相關資費，依據中華郵政公司規定方式書寫，以內容完全相同之副本留存郵局。

㈠**存證信函的效力**，

郵局已在上面蓋有郵戳、日期及編號，又有對方收信的回執證明，得以之作爲訴訟上強而有力的證據。

㈡存證常用的種類

存證信函有：返還借款存證信函、房屋瑕疵存證信函、返還押租金存證信函、違法轉租存證信函、積欠租金存證信函、租屋漏水存證信函、車禍存證信函等範例

㈢存證信函的格式

存證信函用紙電子檔格式可從中華郵政網站 http://www.post.gov.tw/post/index.jsp 下載「存證信函格式」填寫列印。

中華郵政公司存證信函格式使用說明：

1.本軟體適用於 Windows 9x，Windows NT（NT6.0 Vista 不適用），Windows 2000，Windows XP 等系列。

2.英文、數字、符號等請用「全形」輸入。

3.本下載格式係提供寄件人直接輸入文字。

4. 如欲將原有文章轉貼載入本下載格式時，請將原有文章儲存於「記事本」再轉貼即可。若儲存在 word 等其他檔案，則請先將原有文章之字體、段落、字元間距等設定如下，則原有文章轉貼後，文字即可落在存證信函格子內：

⑴字體大小設定為：18 pt

⑵段落行距設定為：固定行高 34pt 及靠左對齊

⑶字元間距加寬及點數設定為：2.9pt

㈣存證文章的撰寫：

撰寫存證信函時，開頭請說明：⑴撰寫存證信函之原因⑵撰寫存證信函之目的⑶對方若不履行自己之主張，自己會採取的行動。最後如有附件，須註明附件名稱及數量，然後署名並簽上發文日期。郵局存證信函要一式三份，（一分寄予收件者，一分自行存檔，一分郵局存證）。

存證信函注意事項：郵局留存的存證信函，經過三年就會銷毀，如果該信函有保存三年以上需求，寄件人可於三年內向郵局申請證明。

三、郵局存證信函的範例

郵局存證信函用紙

正本
副本

郵局 存證信函第　　　號	一、寄件人　姓名：陳ＯＯ　　印 詳細地址：台北市ＯＯ路ＯＯ號ＯＯ樓 二、收件人　姓名：李ＯＯ 詳細地址：台北市ＯＯ路ＯＯ號ＯＯ樓 三、副本收件人　姓名： 詳細地址： （本欄姓名、地址不敷填寫時，請另紙聯記）

行＼格	1	2	3	4	5	6	7	8	9	10	11	12	13	14	15	16	17	18	19	20
一	敬	啟	者	：																
二			一	、	緣	台	端	於	民	國	（	下	同	）	九	十	年	間	陸	續
三	向	本	人	借	款	，	總	計	為	新	台	幣	（	下	同	）	一	千	一	百
四	五	十	萬	元	，	台	端	為	清	償	該	借	款	債	務	，	並	分	別	開
五	立	如	附	表	所	示	之	八	張	支	票	，	並	約	定	以	各	該	支	票
六	之	票	載	發	票	日	為	清	償	日	。	嗣	上	開	票	款	之	清	償	日
七	期	屆	至	前	，	台	端	以	還	款	有	困	難	，	央	求	本	人	寬	延
八	清	償	期	，	本	人	同	意	給	予	一	個	月	寬	延	期	。	詎	本	人
九	於	清	償	之	寬	限	期	限	屆	至	後	之	九	十	年	十	二	月	二	十
十	八	日	，	先	行	提	示	前	揭	附	表	編	號	1	之	支	票	時	，	竟

本存證信函共　頁，正本　份，存證費　元，
副本　份，存證費　元，
附件　張，存證費　元，
加具副本　份，存證費　元，合計　元。

經　郵局
年　月　日證明正副本內容完全相同　郵戳　經辦員　印　主管

黏貼郵票或郵資券處

備註

一、存證信函需送交郵局辦理證明手續後始有效，自交寄之日起由郵局保存之副本，於三年期滿後銷燬之。

二、在　頁　行第　格下塗改增刪　字　印（如有修改應填註本欄並蓋用寄件人印章，但塗改增刪每頁至多不得逾二十字。）

三、每件一式三份，用不脫色筆或打字機複寫，或書寫後複印、影印，每格限書一字，色澤明顯、字跡端正。

騎縫郵戳　騎縫郵戳

郵局存證信函用紙

正本
副本

郵局 存證信函第　　　號	一、寄件人　姓名：陳〇〇　印 詳細地址：台北市〇〇路〇〇號〇〇樓 二、收件人　姓名：李〇〇 詳細地址：台北市〇〇路〇〇號〇〇樓 三、副本收件人　姓名： 詳細地址： （本欄姓名、地址不敷填寫時，請另紙聯記）

行＼格	1	2	3	4	5	6	7	8	9	10	11	12	13	14	15	16	17	18	19	20
一	遭	退	票	，	經	向	台	端	追	償	，	台	端	又	再	央	求	寬	限	至
二	九	十	一	年	五	月	，	因	此	本	人	乃	延	至	九	十	一	年	六	月
三	十	二	日	始	提	示	附	表	所	示	之	編	號	2	至	編	號	8	之	支
四	票	，	惟	仍	遭	退	票	而	未	獲	清	償	。	嗣	屢	經	催	討	，	台
五	端	均	置	之	不	理	。													
六			二	、	綜	上	，	謹	以	本	函	再	次	催	告	，	請	台	端	於
七	函	到	七	日	內	返	還	上	開	借	款	金	額	，	以	免	訟	累	為	禱。
八	附	件	：	附	表	乙	張	。												
九																				
十	【更多存證信函範本：http://www.wasa.com.tw/legal-papers/】																			

本存證信函共　　頁，正本　　份，存證費　　元，
副本　　份，存證費　　元，
附件　　張，存證費　　元，
加具副本　　份，存證費　　元，合計　　元。

經　　郵局
年　月　日證明正副本內容完全相同　　郵戳　　經辦員　主管　印

黏貼郵票或郵資券處

備註：
一、存證信函需送交郵局辦理證明手續後始有效，自交寄之日起由郵局保存之副本，於三年期滿後銷燬之。
二、在　頁　行第　格下塗改增刪　字　印（如有修改應填註本欄並蓋用寄件人印章，但塗改增刪每頁至多不得逾二十字。）
三、每件一式三份，用不脫色筆或打字機複寫，或書寫後複印、影印，每格限書一字，色澤明顯、字跡端正。

騎縫郵戳　　騎縫郵戳

郵 局 存 證 信 函 用 紙

正本
副本

郵局 存證信函第　　號	一、寄件人　姓名：陳○○　印 詳細地址：台北市○○路○○號○○樓 二、收件人　姓名：李○○ 詳細地址：台北市○○路○○號○○樓 三、副本收件人　姓名： 詳細地址： （本欄姓名、地址不敷填寫時，請另紙聯記）

行＼格	1–20
一	敬啟者：
二	緣門牌號碼台北市大安區○○○路○段○
三	○巷○○號房屋（下稱系爭房屋）及地下室由
四	本人向台端承租，再分隔9間轉租他人，本人
五	於95年2月14日向台端承租系爭房屋之第3
六	間及地下室倉庫，每月租金新台幣（下同）3
七	萬8000元，租期自95年3月5日起至97年3
八	月4日止，並交付押租金11萬4000元。詎系
九	爭房屋地下室倉庫因冷氣、下雨等因素致積水
十	不能使用，存有沼氣及病媒蚊，地下室屋頂天

本存證信函共　頁，正本　份，存證費　元，
副本　份，存證費　元，
附件　張，存證費　元，
加具副本　份，存證費　元，合計　元。

經　郵局
年　月　日證明正副本內容完全相同　郵戳　經辦員　主管　印

黏貼郵票或郵資券處

備註：
一、存證信函需送交郵局辦理證明手續後始有效，自交寄之日起由郵局保存之副本，於三年期滿後銷燬之。
二、在　頁　行第　格下塗改增刪　字　印（如有修改應填註本欄並蓋用寄件人印章，但塗改增刪每頁至多不得逾二十字。）
三、每件一式三份，用不脫色筆或打字機複寫，或書寫後複印、影印，每格限書一字，色澤明顯、字跡端正。

騎縫郵戳　騎縫郵戳

副本
正本

郵局存證信函用紙

郵局 存證信函第　　號	一、寄件人　姓名：陳○○　印 詳細地址：台北市○○路○○號○○樓 二、收件人　姓名：李○○ 詳細地址：台北市○○路○○號○○樓 三、副本收件人　姓名： 詳細地址： （本欄姓名、地址不敷填寫時，請另紙聯記）

行 \ 格	1–20
一	花板及管線老舊破裂至冷卻水溢出滲漏，危及
二	承租人之安全或健康，經多次電話通知台端修
三	繕未獲改善，乃於95年11月29日以存證信
四	函通知台端終止租賃契約，爰依貴我租賃關係
五	請求台端返還押租金11萬4000元，並退還就
六	95年3月起至95年11月共9個月期間地下室
七	倉庫不能使用部分之租金9萬6792元，合計
八	應給付21萬792元。請台端於收到本函之翌
九	日起七日內，將前揭金額全部返還本人是禱！
十	【更多存證信函範本：http://www.wasa.com.tw/legal-papers/】

本存證信函共　頁，正本　份，存證費　元，
副本　份，存證費　元，
附件　張，存證費　元，
加具副本　份，存證費　元，合計　元。

經　郵局
年　月　日證明正副本內容完全相同　郵戳　經辦員　印　主管

黏貼郵票或郵資券處

備註：
一、存證信函需送交郵局辦理證明手續後始有效，自交寄之日起由郵局保存之副本，於三年期滿後銷燬之。
二、在　頁　行第　格下塗改增刪　字　印（如有修改應填註本欄並蓋用寄件人印章，但塗改增刪每頁至多不得逾二十字。）
三、每件一式三份，用不脫色筆或打字機複寫，或書寫後複印、影印，每格限書一字，色澤明顯、字跡端正。

騎縫郵戳　騎縫郵戳